# PEDRO INFANTE, UN MITO SIEMPRE JOVEN

D1206449

Portage Public Library
2665 Irving Street
Portage, IN 46368

# PEDRO INFANTE, UN MITO SIEMPRE JOVEN

por Jorge Carrasco Vázquez

PORTER COUNTY LIBRARY

Portage Public Library
2665 Irving Street
Portage, IN 46368

Grupo Editorial Tomo, S.A. de C.V.
Nicolás San Juan 1043
03100 México, D.F.

NF      921 INFANTE          POR
Carrasco Vazquez, Jorge.
Pedro Infante, un mito siempre
33410008838197      JAN 17 2007

1a. edición, abril 2004.
2a. edición, julio 2005.


©    Grupo Editorial Tomo, S.A. de C.V.
     Pedro Infante

©    2005, Grupo Editorial Tomo, S.A. de C.V.
     Nicolás San Juan 1043, Col. Del Valle
     03100 México, D.F.
     Tels. 5575-6615, 5575-8701 y 5575-0186
     Fax. 5575-6695
     http://www.grupotomo.com.mx
     ISBN: 970-666-935-3
     Miembro de la Cámara Nacional
     de la Industria Editorial No 2961

Proyecto: Jorge Carrasco Vázquez
Diseño de Portada: Trilce Romero
Formación Tipográfica: Servicios Editoriales Aguirre, S.C
Supervisor de producción: Leonardo Figueroa

Ninguna parte de esta publicación podrá ser reproducida
o transmitida en cualquier forma, o por cualquier medio
electrónico o mecánico, incluyendo fotocopiado, cassette, etc.,
sin autorización por escrito del editor titular del Copyright.

Impreso en México - *Printed in Mexico*

# Contenido

# Introducción

**R**ealmente se pueden contar con los dedos de las manos los ídolos mexicanos que resisten el paso del tiempo como lo ha hecho Pedro Infante. A 47 años de su muerte, el máximo ídolo nacional sigue más vivo que nunca. Sus grabaciones se siguen vendiendo, ahora en formato compacto en Sony Music o en la Warner Music, o bien, en colecciones en formato MP3.

Sus viejas películas han sido restauradas y aparecen en formato VHS, VCD y DVD. La gente no parece cansarse de verlas una y otra vez en la televisión. Y es que la mayoría de las 60 cintas en las que participó (la mayor parte de ellas en plan estelar), se han convertido en clásicos del cine nacional, que recuerdan la Época de Oro del Cine Mexicano, y son testimonio de un tiempo que se fue para nunca más volver.

Un antiguo periodista cinematográfico, Fausto Castillo, se preguntaba hace muchos años la razón de la popularidad del ídolo y se respondía: "no tenía la recia arrogancia de un Jorge Negrete, ni el sugestivo encanto donjuanesco de Arturo de Córdoba, ni la figura indígena de un Pedro Armendáriz. Era una simple y pura naturalidad, una simpática actitud ante la vida. Era sólo un muchacho sano, fuerte y optimista. Pero tenía tanto de esto que más bien parecía el jugo, la espuma, el arquetipo de esos miles de muchachotes, sanos, fuertes y optimistas."

Pedro resumía su éxito diciendo que "no le debo nada a nadie, pero le debo todo a todos".

En su libro *Erotismo, violencia y política en el cine*, el recientemente fallecido sociólogo, Gabriel Careaga, asegura que "en Pedro Infante se expresaban los sueños colectivos, las imágenes fantasiosas de lo mejor y lo peor del pueblo mexicano. La vieja idea de que los mexicanos norteños son simpáticos, alegres, naturales, francos, solidarios y compañeros, se expresó precisamente en los personajes que encarnó Pedro Infante. Pero también el peladito de la ciudad, el que está tratando de cambiar su situación para ser otra gente. Y a través de las canciones de José Alfredo Jiménez mostraba el otro lado del mexicano: el triste, el pesimista, la víctima de las pasiones y de la traición de una mujer. Pese a todo, el cine mexicano, que a través de toda su historia ha demostrado oscilar en sus personajes entre la cloaca y la mezquindad, tuvo precisamente en Pedro Infante su contrario en la imagen de un hombre desparpajado, libre y natural, ya que en él se reunían el magnetismo, el arrastre que provocaba una identificación masiva con los espectadores cinematográficos. Hoy el público joven lo ha conocido a través de la televisión, y el actor le despierta tanta simpatía como al público de ayer que recuerda su carrera como una constante de triunfos, pero que analizando su biografía se ve como un largo proceso de trabajo y disciplina".

Por su parte, el escritor Carlos Monsiváis en su ensayo *¡Quién fuera Pedro Infante!*, aparecido en abril de 1986 como suplemento de la revista juvenil *Encuentro*, considera que "en buena medida, el atractivo del ídolo descansó en la indistinción pública entre persona y personaje, en la admiración por su hombría firme, dolida y relajienta en el gusto que daba saber que el varón perfecto podía sufrir por hembras necesariamente imperfectas".

Pedro Infante, es pues, uno de los pocos actores al que el público mexicano considera como un miembro más de la familia.

Y aunque existen infinidad de libros sobre la vida del ídolo, casi todos ellos ofrecen una visión parcial de su vida.

Pareciera que tratan de aprovechar los conocimientos que tuvieron del actor, para tratar de disfrutar algo de su grandeza y obtener una remuneración económica.

La intención de este libro es la de rescatar la verdadera esencia de Pedro Infante retomando las declaraciones del ídolo aparecidas, en periódicos y revistas, o para la radio y la televisión, dándole voz propia a la persona, antes que al mito que han creado las personas que se movieron a su alrededor.

A Pedro Infante se le considera como un miembro más de cualquier familia mexicana.

# El oficio de Cristo

José Pedro Infante Cruz nació en Mazatlán, Sinaloa, a las 2:30 de la madrugada del 18 de noviembre de 1917. Fue un día frío y lluvioso, en la humilde casa situada en la calle Camichín 508, que posteriormente cambió a Constitución 88. Fue el cuarto de los 11 hijos del matrimonio formado por Delfino Infante, un humilde maestro de música de Acaponeta, Nayarit y Refugio Cruz, nativa de El Rosario, Sinaloa, una ama de casa, que también cosía para ayudarse en el gasto.

Sus abuelos paternos fueron don Eleno Infante y doña Sinforiana García, y los maternos don Domingo Cruz, y doña Catalina Aranda, también nativos de Rosario, Sinaloa.

Aunque algunas otras versiones hablan hasta de 15 hermanos, lo cierto es que algunos de ellos murieron sin dejar huella.

Oficialmente existen datos de 10 de ellos. Sus hermanas fueron Socorro, Rosario, María del Consuelo, María Concepción, María del Refugio, María Carmela, María de la Concepción. Sus hermanos, Angel y José Delfino.

En esos tiempos revolucionarios, la familia Infante deambuló por Guasave, Guamúchil y Rosario, hasta que decidió establecerse definitivamente en Guamúchil, en 1925, una población de escasos tres mil habitantes, pero considerada buen punto de intercambio comercial y que se encontraba cerca del ingenio azucarero.

Pedro era un niño despierto y travieso. Era bueno para las peleas, le gustaba jugar con avioncitos de papel y madera. Hacía zumbadores con corcholatas que tenían los colores de Sinaloa. Jugaba béisbol, "que es el deporte nacional de

Sinaloa", y le gustaba andar en la bicicleta que le regaló el señor Muro.

En una entrevista a mediados de los 40, Pedro admitió que "era malo para las canicas y el trompo, aunque los hacía muy buenos, con espiga de tope".

Cuando tenía dinero, le gustaba ir al vetusto jacalón del pueblo donde exhibían películas, sobre todo si se trataban de su ídolo Tom Mix (nombre artístico de Thomas Edwin Mix, un vaquero que hizo la mayor parte de su carrera en el cine mudo de Hollywood, en seriales con Buck Jones, Tim McCoy y otros vaqueros que eran los favoritos de los niños).

No es de extrañar que luego de esa infancia llena de privaciones, y sinsabores, ya de grande se haya comprado juguetes caros, como trenecitos eléctricos, con los que se pasaba horas jugando y que tratara de disfrutar de la niñez que no pudo vivir.

Pedro sufrió de poliomielitis a los 11 años y se curó con base en su fuerza de voluntad y disciplina, que serían una constante en toda su vida y que lo forjarían como un hombre capaz de luchar a brazo partido por conseguir sus objetivos.

El pequeño Pedro ingresó a la humilde primaria de Guamúchil donde cursó hasta el cuarto año, que era lo máximo que podía estudiarse en ese plantel.

Apremiado por la precaria situación económica de la familia, "entre mi madre y yo sosteníamos el hogar" —aseguraba—, entró a trabajar en la Casa Melcher, donde se vendían implementos agrícolas.

Pedrito ganaba 15 pesos al mes, haciendo mandados y encargándose de la limpieza del local.

"Como creo que tenía algo liviana la sangre, le caí bien a los jefes y pronto alcancé el grado de jefe de los mandaderos. Cuando eso me cayó gordo, decidí aprender un oficio" —aseguraba en una entrevista.

Entró como aprendiz a la carpintería de Jerónimo Bustillo, quien era su vecino.

Con orgullo solía decir que "era el oficio de Cristo", y, reveló en una entrevista radiofónica que "don Jerónimo era 'rete hacha' para esa chamba y me enseñó a cortar tablas, rasparlas, clavarlas y barnizarlas bonito".

Permaneció cinco años en el taller del señor Bustillo y le tomó tanto cariño al oficio, que cuando ya era rico y famoso, el actor se entretenía en su taller de carpintería fabricando los muebles para su casa.

"La recámara que tengo en mi casa está hecha por mis propias manos. Mucha gente cree que nomás me sirven para tocar guitarra...¡pero no!", se ufanaba en confesar.

En medio de tablas, clavos y cola, Pedro cumplió su primer sueño. Siempre le gustó el canto, y como no tenía dinero para comprarse una guitarra, decidió fabricarse una. Y aunque era tosca y su sonido no era muy bueno, le sirvió para aprender las bases del instrumento, gracias a Carlos Hubbard.

Félix Quintana, quien cantaba muy bonito, los acompañaba a dar serenatas cuando terminaban sus labores.

"En la familia nadie más le hacía al arte ni teníamos antecedentes de esa clase", aseguró en una entrevista.

# Inicios en la cantada

A los 16 años ya provisto de esta nueva herramienta de trabajo, junto con don Delfino, decidió formar una pequeña orquesta, a la que bautizó como *La rabia* y que tocaba en centros nocturnos cobrando 10 centavos la pieza.

Además de la guitarra, Pedro comenzó a tocar la batería.

Como sus ingresos no alcanzaban, en sus ratos libres se dedicaba a la peluquería.

Ese cariño a sus antiguos oficios, lo haría que en su casa tuviera un salón de peluquero y que practicara con sus amigos y técnicos, ya que era un ídolo nacional.

En 1937, el joven carpintero ingresó a la orquesta *Estrella* de Culiacán, en calidad de violinista, baterista y cantante.

Durante uno de los carnavales mazatlecos de la época, obtuvo un tercer lugar y luego consiguió actuar en la XEBL, "La voz de Sinaloa".

Estos pequeños triunfos lo hacen pensar que ya está listo para mayores empresas y buscar nuevos horizontes.

"Si de algo puedo ufanarme, aunque no lo hago, es de haber luchado toda mi vida, de haber vencido a la miseria, de haber proporcionado a mis padres una vejez tranquila y de haber ayudado a mis hermanos, que era la ilusión de mi vida pues, aunque esté fuera de tono, yo me precio de ser un buen hijo y de querer a los de mi sangre, como creo que debe ser", decía.

Decidido a triunfar para darle a su mujer lujos y comodidades, vino a probar fortuna a la capital.

Sin embargo, el éxito no fue nada fácil. Por ejemplo, cuando pidió una oportunidad en la XEW, la estación más importante del país y trampolín de muchas de las figuras de la época, el director musical de la emisora, Amado Guzmán, le aconseja "que mejor se regrese a la carpintería".

"Llegué con grandes ilusiones a la capital y me encontré con un panorama distinto al que me habían pintado. Muchas semanas estuve alimentándome únicamente con café aguado y un taco de sal", recordaba en una entrevista.

Pero Infante no se dio por vencido y probó entonces en la XEB, donde "su ángel protector, el ingeniero Luis Ugalde, lo ayudó a ingresar en 1940 en la emisora con un contrato para cantar tres veces a la semana por seis pesos".

"Además, me dio maravillosos consejos y puso gran empeño en que yo tuviera programas en esa emisora", añadía.

La suerte le comenzó a sonreír y ganó un concurso de aficionados en el Teatro Colonial.

Consiguió un contrato para cantar en el centro nocturno Waikiki el de mayor fama de la época, donde ganaba 10 pesos diarios.

"Sin embargo, mi principal problema estaba en la ropa. Todavía no me alcanzaba para comprarme un *smoking*, que era lo adecuado en esas actuaciones. ¡Pues el ingeniero Ugalde era de verdad tan reata, que me prestó el suyo, imagínese nomás! Y qué diferencia. Ya bien trajeadito, cantaba ya con mucha más confianza. ¡Hacía gorgoritos al cantar de puro gusto", recordaba Pedro en una entrevista radiofónica.

Posteriormente cantó en el Salón Maya, un elegante centro nocturno del Hotel Reforma, e incluso actuó como director de orquesta, gracias a los buenos oficios de Alfonso Rodríguez, un paisano suyo que trabajaba de mesero en el lugar, que consiguió que el empresario Rico Pani lo escuchara y le ofreciera un contrato.

"En la XEB me comenzaron a pagar tres pesos por programa, ¡y ya eran diario!", agregaba Pedro.

Las actuaciones en provincia le representaban 20 pesos, más hospedaje y comida.

Uno de los empresarios, Enrique Serna, bromeaba que nunca lo volvería a contratar de esa manera, ya que la comida era lo más caro del contrato, pues Pedro "comía como pelón de hospicio".

"Estuve un mes en Tampico dándome banquetes con jaibas rellenas, camarones en escabeche, cocteles de ostiones, frijolitos refritos y cerveza fría", recordaba el cantante con nostalgia.

"Con tanto trabajo, mis honorarios ascendieron a la fabulosa cantidad de 100 pesos diarios", y esta relativa bonanza le permitió mudarse a un departamento en el Paseo de la Reforma, donde vivían algunas de las figuras del mundo del espectáculo de esos tiempos, como Luis Aguilar, el popular "Gallo Giro".

Además, al salón Reforma iban productores cinematográficos como Lalo Quevedo y Luis Manrique, que decidieron contratarlo.

"A mediados de 1942, cuando ya tenía en México cuatro años, empezó lo mejor de mi carrera y considero que fue la consolidación de mi nombre, y los 12 meses de 1943 fueron dedicados, además de salir de giras y trabajar en teatros, a grabar muchos discos", explicaba el cantante en una entrevista.

# Pininos en el cine

En 1939, una compañera de trabajo en la XEB, lo recomienda para que interprete un número musical en un filme de José Benavides Jr., *En un burro tres baturros*.

Su imagen aparece borrosa entre una orquesta que toca durante una fiesta que celebra en honor de Carlos López Moctezuma, quien interpreta al hijo burlador del humilde aragonés interpretado por Carlos Orellana, casado con Sara García, que vino en busca de fortuna a las Américas con Joaquín Pardavé. Todos ellos se convertirán en el futuro en sus amigos, pero aquí ni siquiera fueron presentados.

Posteriormente, gracias a los productores Luis Manrique y Eduardo Quevedo, Pedro obtiene trabajo de extra en el corto *Puedes irte de mí*, que se basaba en una canción de Agustín Lara y en la que apareció como director de orquesta en el centro nocturno Los cocoteros.

La dirección corrió a cargo de José Benavides Jr., quien fallecería prematuramente en 1945.

Pese a estos esfuerzos, el cantante se sentía pesimista respecto a su futuro en el cine.

"Yo nunca me veré en películas. Eso queda para los bonitos, para los elegantiosos y ricos, para los guapos y famosos, no para mí que soy un pobre diablo, cancionerito gacho. Para mí eso del cine es como un cuento de hadas, como visitar el país de las maravillas o el mismo cielo", decía en esa época.

El actor y cantante Antonio Badú lo llevó a visitar un foro donde se filmaba *La liga de las canciones*, de Chano Urueta, una comedia musical con Mapy Cortés y Ramón

Armengod, sobre una conferencia internacional, excusa para números musicales de Luis Alcaraz y muchos más.

Fascinado por ese mundo irreal que nunca soñó, Pedro quedó boquiabierto y decide ingresar, en ese medio, en el que habría de filmar 59 películas más.

Lo auxiliaron una serie de factores que se conjugaron para que el cine mexicano viva su época de oro.

La entrada de Estados Unidos a la Segunda Guerra Mundial, tras el bombardeo japonés a Pearl Harbour, el 7 de diciembre de 1941, hace disminuir la producción hollywoodense y alienta la producción nacional de películas.

De acuerdo con la Historia Documental del Cine Mexicano, escrita por Emilio García Riera, las siguientes medidas ayudan al auge experimentado por la cinematografía nacional:

- La prórroga gubernamental a los productores del pago de impuestos.
- La reafirmación del decreto que obligaba a exhibición de películas nacionales.
- La aprobación de la creación del Banco Cinematográfico en 1942.
- Y un año después, la prohibición del doblaje al español de las cintas extranjeras.

Carlos Monsiváis señala que las películas que se filmaron de 1939 a 1949 "son un cine primigenio que disfruta de amplia credibilidad interna y externa. Los integrantes de la industria, productores, actores, directores, argumentistas, camarógrafos y técnicos, no se sienten haciendo arte, sino espectáculos que hablan por las vidas que modifican. El auditorio cree cierto lo que contempla, no porque haya sucedido, sino porque la realidad no es un encadenamiento de hechos, sino lo que acontece transfigurado por la tecnología".

El 27 de junio de 1942, por mediación de su "padrino" Badú, Pedro obtuvo un papel secundario en otro filme de

José Benavides Jr., *La feria de las flores*, en la que aparece otro novato que también triunfaría en la actuación y el canto, Fernando Fernández.

"Para darme confianza, porque era mi presentación, el director ordenó que la primera escena en la que participaba fuera la del *play back*, en que cantábamos Badú, Fernández y yo. Como sólo tenía que mover los labios siguiendo la letra de la canción, mis gestos fueron tan naturales que el señor Benavides me dio un consejo que me ayudó mucho en mi carrera: actuar siempre con naturalidad", recordaba en una entrevista.

El reparto estaba encabezado por Antonio Badú y María Luisa Zea. El primero es Valentín Mancera, un chicano que lucha contra el malvado don Dionisio (Ángel T. Sala), que se ha apoderado de su hacienda. La cinta iba a llamarse *El valiente Valentín*, pero decidieron ponerle el nombre de la canción que interpretaba el trío.

Aunque el papel de Infante no merece siquiera un nombre propio (es presentado como el segundo amigo del chinaco), llama poderosamente la atención de los productores.

"Si trabajo en el cine, es debido a que una mujer que mucho me quiere desde que yo era un perfecto desconocido y mucho muy pobre me ha elevado, y a su titánico esfuerzo debo lo que soy", solía decir, refiriéndose a su esposa, María Luisa León.

Ese mismo año participa en otras dos películas, pero lo hace ya en el papel principal.

En *Jesusita en Chihuahua*, de René Cardona, interpreta a Valentín Terrazas, que se juega la vida ante el malvado Felipe González (el propio Cardona) por conquistar a la dama del título (Susana Guízar). Tiene que sacrificar su bigote ¡para que le pongan uno postizo!

El director de origen cubano le dio más consejos sobre actuación cinematográfica, que le ayudaron a perder el miedo ante la cámara, los diálogos o el equipo técnico".

En *La razón de la culpa,* un melodrama del director potosino Juan José Ortega, Pedro interpreta a Roberto, un español que viaja a México en barco y se enamora de María de la Paz (Blanca de Castrejón), sólo para descubrir que está casada con Andrés (Andrés Soler), otro compatriota, que incluso lo recibe en su casa, y entonces se tiene que conformar con la hija de éstos, Blanca (María Elena Marqués).

Curiosamente, Pedro no logró dar el acento español requerido y le tuvo que doblar la voz Alberto Galán, quien tuvo una buena carrera como actor con Emilio Fernández y con Julio Bracho.

Y es que el acento norteño de Pedro era muy marcado y objeto de numerosas burlas e imitaciones entre sus compañeros.

Sin embargo, su actividad cinematográfica se multiplicó en 1943, año en el que filmó cinco películas y comenzó a convertirse en uno de los favoritos del público.

En *Arriba las mujeres*, una simpática comedia de Carlos Orellana, hace el pequeño papel de "Chuy", el novio ranchero de "Chole" (Margarita Cortés), la criada de una familia, en la que todas las mujeres, encabezadas por Consuelo Guerrero Luna (Felicidad), se quieren liberar del yugo masculino representado por el norteño Laureano (el propio Orellana).

En cambio, estelarizó *Cuando habla el corazón*, del director jalisciense Juan José Segura, una cinta de caballitos en la que el héroe, Miguel, lucía sus dotes musicales al tratar de conquistar a la bella Cecilia (María Luisa Zea), con canciones de Manuel Esperón, Ernesto Cortázar y Pepe Guízar.

Sin embargo, le tuvieron que volver a doblar la voz, esta vez, Jesús Valero. La cinta sólo duró un día en cartelera en el cine Iris.

Se le quiso presentar después como un heredero de Jorge Negrete en *El ametralladora,* de Aurelio Robles Castillo, y es que el charro cantor había estelarizado al Remington en la cinta *¡Ay Jalisco no te rajes!*, dos años antes con gran éxito, pero que no quiso interpretar la secuela.

Era una buena oportunidad para Infante, cuyo ídolo siempre fue Jorge Negrete.

Sin embargo, el escritor jalisciense Robles Castillo, aunque era el autor de la historia original, era un director debutante, por lo que las aventuras de Salvador Pérez Gómez, a los que acompañaban Carlos López, el cómico "Chaflán", fallecido trágicamente poco después, Carmen Salas (Margarita Mora) y "Chachita" (Noemí Beltrán), fueron su debut y despedida detrás de las cámaras.

Para ver la reacción del público, Pedro y su esposa María Luisa fueron a ver al estreno en el cine Teresa.

El actor se sintió frustrado cuando en una escena dramática, la gente se puso a reír. "Mira la gente se ríe de mí, cuando yo estoy llorando."

"No te preocupes —le dijo María Luisa premonitoriamente—, algún día la gente llorará contigo."

De acuerdo con el crítico cinematográfico Gustavo García, autor de la biografía del actor *No me parezco a nadie*, "el fracaso de ser otro Jorge Negrete lo obligó a buscar su propia personalidad, que lo convertiría en la estrella popular más rentable de su época".

"Estoy satisfecho de ser galán charro. En este aspecto considero a Jorge Negrete muy superior a todos los que cultivan el género. Precisamente por eso, por no caer en su imitación o caricatura, para formarme una personalidad independiente, quiero actuar personajes acharrados o rancheros, pero que difieran del tipo creado por Negrete, a quien repito, admiro y aplaudo. Lo malo del cine son las especialidades. Si uno es galán charro, ha de ser forzosamente malo o cosa por el estilo, cuando en realidad hay un acervo ilimitado de tipos entre los que deben considerarse, por ejemplo, como excelentes y aprovechables, los rancheros frívolos o románticos que interpreta Gary Cooper", señalaba Pedro en una entrevista de esa época al periodista Ángel Mora.

Otro debut y despedida en la dirección, fue el del famoso bachiller Alvaro Gálvez y Fuentes, quien tras una larga y exitosa carrera en la radio, se puso delante de la cámara en *Mexicanos al grito de guerra*.

En esta solemne historia del Himno Nacional, Pedro interpreta al heroico teniente Luis Sandoval, que alienta a las tropas nacionales a derrotar a los franceses, tocando con su corneta el himno compuesto por Francisco Javier Bocanegra y Jaime Nunó, muriendo heroicamente al lado de su padre (Arturo Soto Rangel).

Pedro Infante, en *Mexicanos al grito de guerra* (Historia del Himno Nacional, 1943).

Su enamorada era Ester (Lina Montes), una sobrina de los franceses.

Miguel Inclán personificó a Benito Juárez; Miguel Ángel Ferriz, al general Ignacio Zaragoza, y Salvador Quiroz, a Antonio López de Santa Anna, todos ellos semejando a figuras de museo incapaces de la menor ironía.

Pero sin duda la cinta más significativa de Pedro en el año fue *Viva mi desgracia,* una comedia ranchera de Roberto Rodríguez.

En la cinta, el antiguo carpintero personificaba a Ramón Pineda, un hombre tímido que se transformaba al ingerir una bebida espirituosa llamada "la animosa" y conquistaba a Carolina (María Antonieta Pons) y a la "Boticaria" (Carolina Barret).

En la cinta tenía que cantar con una gran orquesta, pero se sentía intimidado, por lo que se tuvo que grabar la voz aparte. El resultado fue muy bueno y Pedro se ufanó ante el director: "¡qué cosa hemos hecho!". "No tienes vergüenza", le replicó Roberto.

El éxito del filme estrechó los lazos que se había iniciado con la familia Rodríguez, cuyo hermano menor, Ismael, había conocido en su anterior cinta, en la que trabajó como director, y quien le tenía preparado una sorpresa en su futuro.

# La sociedad con Ismael Rodríguez

El menor de los hermanos Rodríguez, famosos pioneros de la cinematografía nacional, quiso seguir los pasos de Joselito y Roberto en la dirección.

Debutó en 1942 con *¡Qué lindo es Michoacán!*, una comedia ranchera que significó el regreso a México de Tito Guízar, y dos años después hizo *Amores de ayer*, con el mismo Guízar.

En una entrevista con Beatriz Reyes Nevares, para el libro *Trece directores del cine mexicano*, el director nacido en la ciudad de México el 19 de octubre de 1917, negaba haber creado a Pedro Infante.

"A lo sumo se hizo a mi lado. Él cantaba en la XEB y había hecho varios papeles. Yo lo llamé y le tuve fe. Es posible que alguna de mis indicaciones le haya sido útil."

El director explica que "Pedro era intuitivo. Si usted lo ponía a leer un libro, se fastidiaba a las pocas páginas. Lo que al le gustaba era que le explicaran las cosas y las pescaba al vuelo".

Su hermano Ángel Infante aseguraba que "Pedro acostumbraba aprenderse los libretos en un día, y luego se sabía los diálogos de los demás y hasta los movimientos de cámara".

"Hay que estudiar siempre para no defraudar al público", solía decir Pedro, al ser interrogado al respecto.

Al igual que Infante, el menor de los Rodríguez andaba en busca de un estilo propio que le permitiera triunfar en el cine, y cuando encontró a Infante, formaron un equipo inigualable a lo largo de 16 películas.

Su primer filme juntos, *Escándalo de estrellas*, resultó más bien un experimento.

Pedro es Ricardo del Valle, un abogado que es acusado por su padre, un productor de cine (Eduardo Casado). En esta caótica comedia musical, que mostraba cómo se hacía una película encaminada al desastre, abundaban los chistes sobre la profesión. Las damas jóvenes eran Blanca Amaro, como Elena Silveira, y Carolina Barret, como la secretaria.

Don Ismael aseguraba que se trataba de una sátira contra el mundo del cine, pero que acabó por rebasarlos, "cuando la veo no la aguanto, creo que ha sido mi peor película", confesaba.

En cambio, su primer éxito fue *Cuando lloran los valientes* (1945). Estaba basada en una exitosa novela radiofónica de Pepe Peña.

En ella Pedro interpreta a Agapito Treviño, mejor conocido como "Caballo Blanco", por el color de su montura, un bravo ranchero norteño que se convierte en un bandido generoso antes de la revolución, y que es querido y respetado por todos los habitantes de la región.

Fue la primera vez que hizo pareja con Blanca Estela Pavón, que se convertiría en su pareja cinematográfica por excelencia.

Aquí interpreta a Cristina, quien es su verdadero amor, pese a que tiene que casarse con Chabela (Virginia Serret), y muere heroicamente en sus brazos. Curiosamente la cinta tardó dos años en estrenarse, pues los productores no se sentían muy seguros del resultado.

Y aunque en los cines de estreno no le fue muy bien, tuvo una larga carrera en las salas de barrio, llamadas popularmente "de piojito".

En una entrevista publicada por *México Cinema* en marzo de 1946, Pedro se lamenta: "por desgracia soy apenas conocido en la capital de la República y jamás conté con la orientación de los periodistas y críticos. Éstos casi me desconocen. Como mis películas han sido lanzadas sin grandes alardes publicitarios o estrenadas modestamente en cines de segunda clase, los críticos no las han tomado en cuenta y yo jamás he sabido, sin el apoyo de ellos, corregir mis defectos."

# Los Tres García

Uno de sus primeros éxitos, se debe a las plumas del propio Ismael Rodríguez, Carlos Orellana, quien incluso se reservó el papel de cura, y el cineasta Fernando Méndez, famoso por sus filmes de terror como *El vampiro*.

*Los Tres García* fue considerada por la publicidad "como la mejor del año", se estrenó en el cine Colonial, que cobraba tres pesos, uno menos que los de lujo, en programa doble con una cinta estadounidense de bajo presupuesto *Por qué las mujeres abandonan el hogar*.

Esta comedia ranchera ambientada en el Bajío, en el pueblo de San Luis de la Paz, tiene uno de los mejores repartos de la época.

Pedro es Luis, "que no sabe hacer otra cosa que empinar el codo y andar con viejas, de las que colecciona aretes"; Antonio (Abel Salazar), es José Luis, un orgulloso charro "a quien el maldito orgullo recome las entrañas y le hierve el pecho de gusanos", y Víctor Manuel Mendoza (Luis Manuel), un catrín que se pasa recitando poemas de Manuel Acuña. El vate declara ufano que "nada que no sea dinero no le interesa".

El apellido García, es pues, según el director, signo de alcurnia pueblerina, buena crianza y valor a toda prueba. Modestos pero indómitos terratenientes que son queridos y admirados por todos, menos por los López.

Su abuela doña Luisa (Sara García) es una mujer bragada, que armada de un bastón y un puro, mete en cintura a sus alborotadores nietos, quienes se disputan los favores de Lupita Smith (Marga López), una prima estadounidense que termina en los brazos de José Luis, pese a que le dice a Luis Antonio que "envidia su carácter, tan alegre, tan decidor, simpático y a fin de cuentas, muy mexicano".

Sin embargo, en la continuación *Vuelven los Tres García*, según la publicidad "la película más sentimental y grande que se ha filmado en México", durante la ceremonia nupcial, la pareja es acribillada por León (Rogelio A. González), miembro de los López, la familia rival que busca venganza. En el tiroteo también quedan heridos el cura y la abuela, que finalmente fallece.

En una de las escenas más delirantes del cine nacional, que en opinión de los expertos plasma la fijación materna del macho mexicano, Pedro le lleva serenata con *Mi cariñito* y llora ante la tumba de su abuela en medio de una tormenta; incluso, le pidió matrimonio y es incapaz de reponerse de su muerte, aunque se le aparezca en espíritu.

Blanca Estela Pavón es ahora Juan Simón, la hermana de León, el villano (Rogelio A. González, su novio de la vida real), bautizada así porque sus padres querían un niño, por lo que es machorra, anda siempre en pantalones y provista de un par de pistolas y de nueva cuenta no puede hacer pareja con Pedro, y tiene que conformarse con Víctor Manuel Mendoza, mientras que Lupita se casa con José Luis.

En cambio, Luis Antonio, tiene un pacto mortal con León, quien nunca se recupera de haber herido a un cura y de matar a una anciana, y se matan mutuamente a tiros.

Su espíritu aparece con el de la abuela en la ceremonia matrimonial de su hermano, y juntos van hacia el cielo: ambos alcanzarían la inmortalidad fílmica.

# La cinta más vista

Ismael Rodríguez asegura que *Nosotros los pobres* es la película mexicana que más se ha exhibido. Por lo pronto, fue la que más éxito tuvo durante su estreno, abarrotando las salas en las que se exhibió durante cinco semanas. Lo cierto, es que dio origen a una exitosa trilogía que comprendería *Ustedes los ricos* (1948) y *Pepe el toro* (1952), y en honor a la verdad, puede considerarse como la más exitosa del cine nacional.

Rodríguez confesaba en una entrevista: "cuando hice esa película estaba de moda el cine neorrealista." Conviene recordar que esa corriente del cine italiano, que pugnaba por el regreso a los escenarios naturales y a los personajes populares, había dado al mundo obras maestras como *Roma ciudad abierta*, de Roberto Roselini, *Ladrones de bicicletas*, de Vittorio de Sica.

"Entonces con nuestros personajes y con nuestro ambiente, traté de hacer una película de ese género, ensayando además, lo que entonces se llamaba el 'claroscuro dramático': la mezcla de la lágrima y la carcajada", explicó en una entrevista con Ignacio Solares.

El menor de los Rodríguez se dio a la tarea de recuperar a los habitantes de un populoso barrio mexicano, con la ayuda de Pedro de Urdimalas, y consiguió que cada uno de los personajes se convirtiera en auténtico representante del pueblo, en un prototipo.

Según la publicidad de la cinta que se estrenó en el cine Colonial, reservado para las cintas nacionales, "en la cárcel, un número, en el barrio un apodo, pero cada uno de nosotros los pobres, tiene una historia de dolor e injusticia, que desgarra el corazón".

Pedro es *Pepe el Toro*, un humilde carpintero viudo que vive en una vecindad en compañía de su paralítica madre muda (María Gentil Arcos), una hija "Chachita" (Evita Muñoz) y su novia la "Chorreada" Celia (Blanca Estela Pavón), quien al fin podrá consumar su amor fílmicamente.

El reparto es espléndidamente complementado por otra serie de personajes, que solamente merecen el apodo, que los representa de pies a cabeza, la "Tísica" (Carmen Montejo), "la que se levanta tarde" (Katy Jurado), y hasta las cómicas "Tostada" y "Guayaba" (Delia Magaña y Amelia Wilhemy).

Tampoco hay que olvidar a los torvos villanos, el mariguano don Pilar, padrastro de Celia (Miguel Inclán, quien luego alcanzaría la inmortalidad fílmica como el ciego de *Los olvidados*), y Jorge Arriaga, que en un lujo de realismo era dejado tuerto por el héroe en una pelea en la que confesaba el crimen de la usurera que le había sido achacado al pobre carpintero.

*Amorcito corazón* , la canción con la que el público identificó la película, tuvo que grabarse en 1949, y es que conviene recordar que en ese entonces no era común que se sacaran discos con las canciones que se interpretaban en las películas.

Ante el rotundo éxito de la cinta, Rodríguez no dudó en hacer una secuela, obviamente titulada *Ustedes los ricos.*

Aunque la cinta había sido seleccionada para estrenar el cine Ópera, el retraso en las obras motivó que se estrenara simultáneamente en El Palacio Chino y en el Rex.

La publicidad era muy sintomática: "su ternura conmueve, su realismo estruja, su gracia cautiva y su interés subyuga."

Y es que en esta cinta, el carpintero deberá sufrir un nuevo golpe al perder calcinado a su pequeño hijo, el "Torito" (Emilio Girón), si bien Celia, la "Romántica" se salva y le dará unos gemelitos en un ¡al fin final feliz!, en el que incluso la encopetada abuela, doña "Charito" (Mimí Derba) llegará a mendigar un poco de amor, "pues está muy sola con todos sus millones". Su hijo, el desobligado Manuel de la Colina y Bárcena (Miguel Manzano), que no es otro que el padre de "Chachita", perece ejemplarmente al salvarla del incendio en el que muere el "Torito".

El mensaje de Rodríguez se antoja totalmente ingenuo: "los ricos no quieren a los pobres, porque no los conocen."

Y es que como bien señala Jorge Ayala Blanco, en *La aventura del cine mexicano*, "los pobres son buenos. Además saben divertirse, son felices, alegres, dicharacheros, dignos, trabajadores, unidos, cumplidos, generosos, amables y devotos. El derroche de sus cualidades compensa cualquier forma de pobreza".

El aporte tremendista, lo daba la cercenada de piernas que sufría el pobre "Camello", un billetero jorobadito, por un tranvía, cuando iba a advertir al héroe de una trampa.

*Nosotros los pobres*, con Evita Muñoz "Chachita" (1947).

Como personaje de las tragedias, el carpintero reaparecería en la tercera y última parte de la saga, cuatro años después en *Pepe el Toro*, aquejado de nuevas desgracias.

Para comenzar había perdido a los gemelitos y a su chorreada en un accidente de camión.

Y aunque su sobrina "Chachita" se había vuelto millonaria al heredar a su abuela, en poco tiempo regresaba a las filas de los pobres, al no poder comprobar legalmente su parentesco.

Orillado por la miseria, tiene que convertirse en boxeador, y es alentado por su ex compañero de la escuela Lalo (Joaquín Cordero), quien vive feliz con su esposa Amalia (Amanda del Llano) y sus dos hijos.

En un nuevo giro trágico de su vida, el "Torito" mata a Lalo en una pelea (que ninguno de los dos quería), y en la que el público los obliga a combatir sanguinariamente.

*Ustedes los ricos*, con Blanca Estela Pavón (1948).

Destrozado moralmente, el pobre carpintero deberá seguir peleando y derrotando al odioso campeón "Bobby" Galeana (Wolf Ruvinskis) para ayudar a la viuda y a Lucha (Irma Dorantes), un nuevo amor en su vida.

"Chachita" se casa con el "Atarantado" (Freddy Fernández), que demuestra que es tal, al dejarse atropellar por los automovilistas con la esperanza de que lo indemnicen.

La Comisión de Box otorgó a Ismael Rodríguez unos Guantes de Oro especiales, "por haber filmado la mejor pelea de la historia".

Rodríguez dejó abierto el final, sin dejar entrever si el boxeador adoptaba la familia que había deshecho, o si iniciaba una nueva relación con la dulce y joven Lucha.

Y es que tenía la esperanza de proseguir la saga de los pobres con una cinta que se llamaría *Ni pobres, ni ricos*. La muerte de Pedro Infante lo impidió.

Realizó entonces una nueva versión de *Nosotros los pobres*, en 1969, con el título de *Faltas a la moral*, el cantante Alberto Vázquez no tenía el carisma de Pedro Infante, ni Ana Martín la simpatía de Blanca Estela Pavón.

# Tres por uno

Consciente de la popularidad de Pedro, Ismael tiene la ocurrencia de triplicarlo, con la esperanza de multiplicar su éxito en *Los tres huastecos*.

Gracias a peripecias técnicas y el laborioso uso de mascarillas, Pedro da vida a los triates Andrade.

El tamaulipeco Lorenzo es el dueño de una cantina, borracho, parrandero y jugador, que tiene una hija pequeña a la que apodan la "Tucita" (María Eugenia Llamas). El veracruzano Víctor, es un serio capitán del ejército, y el potosino Juan de Dios, un cura que toca el violín y juega con los niños a las canicas.

*Los tres huastecos* (1948).

Cada uno de los trillizos sentía lo que hacía el otro, lo que provocaba infinidad de enredos, y aunque Pedro intentaba repartir equitativamente las simpatías entre estos tres representantes de los poderes, resultaba evidente que el que le era el más simpático era el tamaulipeco.

Tal vez por ello, Víctor se quedaba con Mari Toña (Blanca Estela Pavón), y Juan de Dios se hacía cargo de la "Tucita".

# Elogio al patriarcado

**C**on la ayuda de Rogelio A. González, don Ismael concibe una nueva saga familiar en la que contará con la participación de uno de los actores más famosos del cine nacional : Fernando Soler.

*La oveja negra* fue estrenada en el cine Orfeón, asegurando que "es una trepidante historia que pone mano a mano a dos de los mejores actores del cine nacional".

El mayor de los Soler encarnará a Cruz Treviño Martínez de la Garza, un norteño borracho, parrandero y jugador, que es idolatrado por su abnegada esposa Bibiana (Dalia Iñiguez) y por su ejemplar hijo Silvano (Pedro Infante).

Ayala Blanco destaca "las cualidades del hijo rebelde ante la autoridad familiar, oscilante entre la mujer-madre y la mujer-prostituta, absurdamente sentimental, mujeriego, inadaptado, bebedor temperante que se embriaga solo de

*La oveja negra*, con Fernando Soler (1949).

dolor, católico ferviente, perseguido por la fatalidad, viviendo bajo la figura tutelar de la madre y proponiendo una escala de valores que coloca en primer término el desprendimiento generoso y su irresistible simpatía".

El patriarca adquirirá deudas de juego, tratará de ser prefecto de policía, y hasta tomará como amante a Justina (Virginia Serret), una ex novia despechada de Silvano, que deberá pagar a escondidas las deudas paternas, y aunque derrote a su progenitor en las urnas, deberá limpiarle los zapatos: a los padres no se les debe juzgar, sino obedecer a ciegas. "Mi padre es muy mi padre y puede hacer lo que se le dé la gana", dice Silvano.

Todo será inútil, Cruz golpeará a su hijo y provocará la muerte de Bibiana, que como acto postrero consigue que se reconcilien.

"Si no fuera tu padre te pediría perdón, pero m'hijo yo te perdono", dice Cruz en un diálogo que resume su conducta.

El público tardó poco tiempo en ver la continuación que se estrenó igualmente en el cine Orfeón, y que fue anunciada "entre el deseo del padre y la oposición del hijo, se mueve esta historia donde se vuelve a desear lo que no se debe desear".

En *No desearás la mujer de tu hijo*, efectivamente, Cruz vuelve a las andadas y disputa a su hijo el amor de Josefa (Carmen Molina), pero al fin Silvano se rebela y pone a su padre en su lugar.

Cuentan que al principio de las cintas Pedro estaba impactado por la personalidad de don Fernando, un poco como le ocurre a Silvano en la película; sin embargo, consiguió una de las mejores actuaciones de su carrera, consolidando su popularidad.

# Músico olvidado

Para su siguiente filme, el menor de los Rodríguez decidió hacerle justicia a un músico nacional injustamente olvidado, Juventino Rosas.

La vida de este músico ya había sido llevada a la pantalla grande en 1932 por Miguel Zacarías, en un filme almibarado, en el mejor estilo del cine hollywoodense.

Como mayor atractivo, fue además la primera cinta de Pedro filmada a colores.

Sin embargo, pese a sus buenas intenciones, el violinista acaba convertido en una prolongación de los personajes anteriores de Pedro Infante.

Rosas es "un borrachín impenitente, masoquista y suicida", al estilo de *Los Tres García*, según apunta acertadamente Emilio García Riera en el cuarto tomo de su *Historia Documental del Cine Nacional*.

Para honrar "al mejor músico del mundo", según don Ismael, el músico, soldado desertor, toca ante figuras de la época como Ángela Peralta, el mismo don Porfirio, antes de ser estafado y morir en el exilio en La Habana en 1894, a los 27 años de edad.

El binomio decide entonces regresar a terrenos más conocidos, y filma ese mismo año *Las mujeres de mi general*, en la que Pedro interpreta al general Juan Zepeda, un revolucionario que disfruta de los amores de Lupe (Lilia Prado), una fiel soldadera, y de la vampiresa Carlota (Chula Prieto).

Por un lamentable descuido, durante la filmación de una de las batallas se utilizan balas verdaderas, y en el accidente fallece un soldado y resultan heridas otras dos personas.

# Motociclistas emblemáticos

Para la decada de los 50, Infante ya era una garantía de taquilla, al grado, de que sus películas gozaban de una preferencia impensable: se estrenaban en el mismo año en el que se filmaban y se le destinaban los cines más grandes de la capital.

La pareja obtendría uno de sus éxitos más sonados con sus siguientes filmes: *ATM* y *¿Qué te ha dado esa mujer?* en las que hace pareja por primera vez con otro popular cantante de la época, Luis Aguilar.

El director de Tránsito, el general Antonio Gómez Velasco, otorgó a Ismael Rodríguez todas las facilidades, para ayudar a un filme "que acabara con la mala imagen que tenían los mordelones".

El famoso "Gallo Giro", es Luis Macías, un motociclista que ha logrado entrar al Escuadrón Acrobático de la Dirección de Tránsito y que se conduele del vago Pedro Chávez, al que ayuda a rehacer su vida, luego de haber estado en la cárcel, llevándolo a su casa y consiguiéndole trabajo.

Pedro entra a trabajar como barrendero en la corporación, pero como demuestra ser un hábil motociclista, en poco tiempo es ascendido a oficial y es pareja de trabajo de Luis.

Ambos amigos pelean por conquistar gringas y todo tipo de mujeres, y acaban desafiándose a peligrosas acrobacias en la recién inaugurada Plaza México, para terminar heridos en una ambulancia, en la que se estrechan la mano lo que no los librará de quedar arrestados.

Pese a que en un principio se pensaba que su hermano Ángel hiciera las escenas peligrosas, o que fuera sustituido por uno de los mejores motociclistas de la corporación, Pedro tomó el asunto como algo personal, y filmó él mismo las escenas peligrosas, ante la angustia del director.

En la continuación, *¿Qué te ha dado esa mujer?*, los dos amigos han jurado no casarse, por lo que boicotean sus relaciones con sus novias Ruth (Gloria Monge) y Marianela (Rosita Arenas), y luego pelean a causa de Yolanda (Carmen Montejo), una mujer de la mala vida a la que Pedro trata de ayudar.

Esa pareja de motociclistas se convertirán en verdaderos iconos de la cultura nacional.

Para comenzar, Pedro fue nombrado junto con el director Ismael Rodríguez, comandante honorario de la corpo-

Pedro Infante, en *¿Qué te ha dado esa mujer?* (1951).

ración, pues se había convertido en un avezado motociclista, bajo la tutela de los oficiales Enrique López Zuazua y Francisco Sandoval.

Se había pensado en una tercera parte que se titularía *En el camino andamos*, que nunca se llevó a cabo.

José Agustín en su primera novela *La tumba*, hace un homenaje a la pareja, narrando una anécdota de cómo una amiga se salva de una multa, resaltando "el parecido" del tamarindo con Pedro Infante.

Los cómicos Poncho Aurelio y Miguel Galván, se inspirarán en la pareja para unos de sus personajes más simpáticos de *La hora pico*.

Y para confirmar que nunca segundas partes fueron mejores, el *ATM 2* filmado por Julio Aldama en 1984, con su hijo Julio Augurio y Pedro Infante junior, supuestos hijos de los originales, duró apenas una semana en la cartelera comercial.

# Mano a mano

En plena popularidad, Ismael decide reunir a Pedro en su siguiente cinta, *Dos tipos de cuidado*, con Jorge Negrete, el máximo charro del cine nacional. Con la ayuda de Carlos Orellana, inventa una historia en la que Negrete interpreta a Jorge Bueno, mientras que Infante es Pedro Malo, dos rancheros enfrentados por líos de faldas con Yolanda Varela y Carmelita González.

El argumento llevó dos años, y es que ninguno de los dos estaba dispuesto a que el otro le robara la película.

Rodríguez confesaba que "Jorge Negrete no tenía igual cantando, no habrá otro igual en el cine. Además era dueño de una gran personalidad, pero jamás fue tan buen actor como Pedro".

La cinta fue anunciada como "la comedia más divertida del año. Ría y goce usted con los pleitos y los amores de estos dos tipos de cuidado".

En octubre de 1952 se presentaron juntos por única vez en el teatro Lírico con la vedette Rosita Davil, representando el cuadro *Dos gallos de cuidado* y cantando sus éxitos más recientes.

En *La aventura del cine mexicano*, el crítico Jorge Ayala Blanco define la cinta como "la obra maestra de la comedia ranchera. Los intérpretes son llevados al borde de sí mismos. La oposición entre ambos no es ficticia. Sus personalidades cinematográficas y sus personalidades reales se unifican. Negrete es el macho adinerado, buen tipo, petulante, agresivo y rencoroso. Infante es el macho humilde, sometido, estoico, noble. La jactancia de Jorge deriva de una posición social elevada. La simpatía de Infante proviene de una compensación humillada", asegura.

"La homosexualidad latente que preside las relaciones amistosas de los machos mexicanos aflora en diálogos como "cuando una mujer nos traiciona, pues la perdonamos y ya, al cabo es mujer, pero cuando la traición viene de quien creemos nuestro mejor amigo, ¡ah Chihuahua, como duele!", concluye.

En realidad, la cinta muestra la reunión única entre dos mitos del cine nacional, en un filme sin vencedor ni vencido, que sin embargo, fue considerado como el epitafio de un género que había nacido 16 años antes con *Allá en el Rancho Grande*.

En noviembre de 1953, Pedro formalizó uno de sus sueños: fundar su propia compañía productora, a la que bautizó como Matouk Films, con su amigo libanés Antonio Matouk.

En teoría esto le permitiría una mayor independencia **artística**, y que le reportaría mayores beneficios económi-**cos de** sus películas, que eran negocios para los demás, pero .¹o para él.

Por ejemplo, en *Los Tres García,* solamente había cobra-**do 500** pesos, y en cambio, en las últimas recibía 300 mil **pesos,** más un porcentaje de los ingresos en taquilla.

Su alejamiento con Ismael duraría cuatro años, aunque se quejaría de que "le hacía mucha falta, pues lo dejaban sobreactuarse".

# Amor indio

Luego de esa pausa, Ismael Rodríguez quiso unir a Pedro con María Félix, sin duda la actriz mexicana más famosa de esa época y muchas más.

Para ello escribió un argumento en compañía de Manuel R. Ojeda y Ricardo Parada León, que no era sino una variación de la tragedia indígena *Tabaré*. Además, contrató el Cinemascope para la cinta.

La doña aseguraba que "la historia es muy bonita, pero no está pensada para mí. Eso es para que luzca Pedro Infante. Lo hago con una condición, que haga después algo sólo para María Félix".

Don Ismael cumpliría su palabra sólo a medias, dos años después con *La cucaracha*, y es que la doña tuvo que compartir estelares con Dolores del Río e Ignacio López Tarso.

Pedro también se había puesto sus moños: "¡ay mano, pero un indito!", pero cuando supo que María había aceptado ya no puso ninguna objeción.

Pedro era un hábil cazador indígena oaxaqueño que se enamora de María (María Félix), la hija de don Enrique del Olmo (Miguel Arenas), un rico terrateniente local, a la que cree una reencarnación de la virgen.

Para interpretar más fielmente al indígena "Tizoc", Pedro le quiso comprar sus huaraches a un indígena. Este se negó, pero al ser tanta la insistencia del actor, le dijo que si le llevaba una llanta le haría unos. El actor fue y compró una llanta nueva y contento con su calzado, lo utilizó mientras se aprendía los diálogos de la cinta que lo llevaría a conseguir el Oso de Plata en el Festival de Berlín, pero que mereció muchas críticas en el medio nacional, por considerar que el actor se sobreactuaba con un tonito cantado y con sus saltitos.

Cuenta don Ismael que "muchas veces cuando Pedro actuaba al lado de novatos, les ayudaba con sus papeles; inclusive le sugerí que dirigiera y me contestó —¡ay mano no voy a poder!— Todo lo que te has propuesto en la vida lo has logrado, ¿por qué no esto? Sí ¿verdad? Búscame un asunto greñudo. Y en eso andábamos cuando murió. No alcanzó a ver el primer corte de *Tizoc*, hacíamos la regrabación cuando nos vino la noticia del accidente".

*Tizoc* (Amor indio), con María Félix (1956).

# Los otros Rodríguez

Pedro trabajó con la mayor parte de los directores importantes del cine nacional. Con los hermanos Rodríguez hizo otras cuatro cintas. Con Joselito filmó *Angelitos negros* (1948), un melodrama en el que Pedro interpreta a José Carlos, un cantante de moda que luego de casarse con la rubia Ana Luisa (Emilia Guiú) tiene una hija negra (Titina Romay, la hija del director), a la que ambos desprecian, hasta que la abuela negra Mercé (Rita Montaner) les explica la causa de sus desgracias.

Con Roberto filma entre 1948 y 1949, *Dicen que soy mujeriego*, *El seminarista* y *La mujer que yo perdí*.

En la primera, Pedro repetía el papel de eterno enamorado, que era domado por la juvenil Flor (Silvia Derbez), con la ayuda de doña Rosa (Sara García), una abuela descendiente de la de *Los Tres García*.

En *El seminarista*, el cantante interpreta a Miguel Morales, un seminarista modelo, sin bigote y ejemplo moral para su compañero Toño (Fernando Soto, "Mantequilla"), pero que sucumbe a los encantos de Mercedes Orozco (Silvia Derbez), una amiga de la infancia; se casa con ella y tiene dos hijos.

En *La mujer que yo perdí*, Pedro vuelve a ser pareja de Blanca Estela Pavón (María), como Pedro Montaño, un amigo de los indígenas que son explotados en tiempos de don Porfirio. Tal y como el título señala, María muere en brazos de su amado.

*La mujer que yo perdí*, con Blanca Estela Pavón (1949).

# Un amigo: Rogelio A. González

l director, quien mejor supo aprovechar las cualidades descubiertas por Ismael Rodríguez, fue sin duda el regiomontano Rogelio A. González, a quien conoció cuando era argumentista de Ismael Rodríguez y de quien fue gran amigo, pues era novio de Blanca Estela Pavón, además de haber intervenido en *Vuelven los Tres García*, en la que se matan mutuamente. Este amigo, nacido en Nuevo León en 1920, lo dirigió en nueve ocasiones.

En *El gavilán pollero* (1950), Pedro es José Inocencio Meléndez, apodado el "Gavilán", un aventurero que vaga en compañía de Luis Pepe (Antonio Badú), su compadrito del alma, al que abandonarlo sería "ir contra la ley de Dios", pese a las intrigas de la "Gelatina" (Lilia Prado), una despampanante mujer, que trata de separarlos a toda costa, dándole picones a los dos y terminando abandonada en un charco de lodo.

En el más puro estilo de Ismael Rodríguez, Rogelio filma un par de melodramas. *Un rincón cerca del cielo,* es anunciada en el cine Orfeón con la afirmación de que "las dos estrellas más populares se reúnen en la película más tierna y humana que se ha filmado en México. La cruel lucha por la vida en la que perdieron todo, menos su inmenso amor y su fe en Dios ".

El filme narra las vicisitudes del provinciano Pedro González (Infante), quien viene a la capital en busca de fortuna, y en cambio se casa con su compañera de oficina Margarita (Marga López), igual de pobre que él, y termina "viviendo en una buhardilla que está cerca del cielo", que pese a la cercanía, les envía desgracia tras desgracia, perdiendo al niño que esperaban, y Pedro fracasa en un intento de suicidio que lo deja cojo.

Y aunque termina agradeciendo a Dios "por haberlo hecho pobre", la segunda parte, *Ahora soy rico*, contradice ese pensamiento, pues trata de enriquecerse a toda costa como ladrón o como vendedor estrella de su amigo Tony (Tony Aguilar). Sin embargo, el dinero lo corrompe y engaña a su mujer, que espera otro hijo con la nieta de un humilde portero Tachito (Irma Dorantes). Su castigo carcelario le permitirá redimirse de su intento de subir en la escala social y seguir siendo uno más de *Nosotros los pobres*.

En *El mil amores*, Pedro personificaba a Bibiano Villarreal, un rico ranchero norteño, al que apodaban como el título de la película, pero modestamente decía que "apenas y llegaban a cien", y finalmente se conformaba con Carmen Zamudio (Rosita Quintana).

*Escuela de vagabundos*, adapta un argumento de John Jevne, que ya se había adaptado en Francia por Jean Renoir, en *Boudú salvado de las aguas*, y en Hollywood, Gregory La Cava dirigió *My man Godfrey*, la historia de un vagabundo que es adoptado por una familia acomodada.

La cinta resultó una de las más exitosas del cantante, y duró más de 15 semanas en las que fue vista por más de 510 mil personas.

Por ello resultó la segunda figura taquillera de 1954, solamente detrás de Mario Moreno "Cantinflas", con 400 mil pesos recaudados en taquilla.

En la adaptación nacional, Pedro es Alberto Medina, en apariencia un pobre vagabundo que llega a la casa del millonario Miguel Valverde (Oscar Pulido), quien tiene a una excéntrica esposa, Emilia (Blanca de Castrejón), con el complejo de ayudar a los pobres, y conquista a la remilgada hija Susana (la bellísima Miroslava, poco antes de su trágico suicidio).

*Pueblo, canto y esperanza* resultó un filme singular que reunía tres cuentos latinos, uno cubano dirigido por Julián Soler, otro colombiano a cargo de Alfredo Bolongaro Crevenna.

El mexicano que dirigió Rogelio A. González, estaba basado en el cuento *Tierras de plata y oro,* de Ladislao López Negrete, y en él Pedro interpretaba a Lencho Jiménez, un minero del siglo XIX que a punto de suicidarse por una deuda de juego, es salvado por su novia Lucina (Rita Macedo).

Ese mismo año conseguiría su máximo logro histriónico con *La vida no vale nada,* que le valió un Ariel. El argumento de los Alcoriza (Janet y Luis), estaba basado en dos cuentos de Máximo Gorki, *Malva* y *Los amansadores,* y sirvió para presentar "un Pedro Infante diferente".

En su estreno en el cine Metropólitan se anunció como "indiscutiblemente la mejor película de Pedro Infante. Es la historia inquietante de un vagabundo sin más equipaje que sus angustias y sus canciones".

Pedro es Pablo Galván, un campesino, trabajador y simpático, pero con un fondo melancólico, un espíritu de frustración que le hacía llevar una vida nómada y esencialmente desesperanzada, que lo llevaba a la bella viuda Cruz (Rosario Granados), a Silvia, una prostituta redimida (Magda Guzmán) o a la bella Martha (Lilia Prado) que ha seducido a su padre.

Ese mismo año regresó a los terrenos de la comedia con *El inocente,* una divertida historia del matrimonio Alcoriza, que narra las peripecias del humilde mecánico Cutberto Gaudázar, mejor conocido como "Cruci", con la estirada niña rica Mané (Silvia Pinal), a quien ayuda la noche de fin de año que se le ha desvielado el automóvil en Cuernavaca, y tiene que casarse "porque ha deshonrado su apellido al pasar la noche con ella", aunque debe divorciarse dos meses después. Sin embargo, como era de esperarse, la pareja se enamora de verdad. En 1968, Alberto Vázquez y Angélica María filmaron un *remake* titulado *Romeo contra Julieta*, dirigido por Julián Soler.

En *Escuela de rateros* (1956), que sería su última cinta, Pedro tiene un doble papel, el de Víctor Valdés, un ratero de la alta escuela que es asesinado y sustituido por Raúl Cuesta Hernández, un humilde panadero norteño, que debe ayudar a la policía para capturar a los asesinos. Los problemas para el panadero se multiplican, pues hereda a su esposa Alicia (Bárbara Gil) y a su amante (Yolanda Varela), aunque él tiene su novia Rosaura (Rosita Arenas).

La cinta se estrenó hasta mayo de 1958 en tres cines, el Roble, el Orfeón y el Ariel, en cuatro funciones diarias, algo insólito para la época.

La cinta motivó que la prensa dijera que "nadie igualó a Pedro, que enternecía con su voz y cautivaba con su simpatía. Simbolizaba siempre el triunfo del pueblo".

Rafael Solana escribió que "fue una despedida brillante, como la de un torero", y vaticinaba que se trataría del taquillazo del año".

# Un veterano: Miguel Zacarías

E l veterano Miguel Zacarías Nogain también lo aprovechó muy bien en siete cintas. En *Si me han de matar mañana* (1946), Pedro interpreta a Ramiro, un ranchero jalisciense que se enamora de la bragada Lupe la "Serrana" (Sofía Alvarez) y tiene que disputarla al torvo Genovevo (René Cardona).

En *Necesito dinero* (1951), Pedro es Manuel, un humilde mecánico que ha quedado deslumbrado por las bellas piernas de María Teresa (Sarita Montiel), la "zapatitos", que ya

*Necesito dinero*, con Irma Dorantes (1951).

está cansada de ser pobre, por lo que el mecánico para conquistarla trata de enriquecerse a toda costa, como vendedor,
concursante, cosa que logra como taxista, pues el cajero de
un banco olvida un maletín con 100 mil pesos. Pese a que
trata de deslumbrar a la chica con ese dinero, se da cuenta
que el dinero no es la vida, y al final decide regresarlo, pues

al fin y al cabo sus ahorros bastarán para abrir un taller y comprarle a la despampanante Sarita los zapatos que pida.

Ese mismo año, Pedro tiene gran éxito con una serie radiofónica, concebida por el bachiller Alvaro Gálvez y Fuentes titulada *Ahí viene Martín Corona*, a lo largo de 40 capítulos de media hora.

Y aunque la serie continúa, Pedro es sustituido por Luis Pérez Meza, pues fue cuando se le puso una placa metálica en el cráneo, debido a su segundo accidente aéreo.

*Ahí viene Martín Corona*, con Sara Montiel (1951).

Sin embargo, Pedro se recuperó a tiempo y pudo dar vida fílmica a ese legendario personaje de fines del siglo XIX, que lucha contra los bandidos que azotan la región de Saltillo.

*Ahí viene Martín Corona* vuelve a reunir a Pedro con Sarita Montiel, y el simpático Eulalio González, quien interpreta a "Piporro", su escudero cómico, que se convertirá en su personaje de toda la vida.

El filme tiene una continuación titulada *El enamorado*, en la que el héroe se casa con la hembra bravía y tiene dos hijos, uno de los cuales es secuestrado por el "Cuervo", quien hasta lo cuelga al borde del abismo, antes de ser rescatado por su bravío padre.

Tratando de aprovechar el éxito de la cantante argentina Libertad Lamarque, Zacarías logra que formen pareja en dos cintas.

*Ansiedad* (1952), la primera de ellas es un melodrama donde la estrella argentina la hace de esposa y luego madre de Pedro, quien es Rafael, un humilde cantante de la legua, y luego su hijo del mismo nombre, resultando evidente que Infante se sentía mejor de hijo que de pareja romántica de la dama del tango, con la que interpreta varios números entre ellos *Farolito* de Agustín Lara.

La publicidad decía "dos grandes estrellas en tres cines de estreno", el México, el Chapultepec y el Mariscala".

El crítico Rafael Solana no escatimó los elogios y decía "actuaciones excelentes de dos magníficos intérpretes, resaltando el uso certero de algunas canciones", y aseguró "que se trataba del mejor melodrama desde *Las abandonadas*, filmada por el "Indio" Fernández, en 1944".

En *Escuela de música*, filmada tres años después, Pedro es Javier Prado, un tímido negociante que por amor a su novia Ana María (Georgina Barragán), se convierte en el primer alumno de una escuela musical al borde de la quiebra de Laura Galván (Libertad Lamarque), de la que se enamora luego de un auténtico maratón de 14 canciones.

*Cuidado con el amor* (1954), que duraría siete semanas en cartelera, narra la historia del jugador Salvador Allende (Infante), que tiene la fortuna de encontrar un tesoro que lo hará rico, y a la bella Ana María (Elsa Aguirre), que lo hará feliz.

# Otros directores

Joaquín Pardavé, el inolvidable don Venancio, lo dirige en dos cintas, *La barca de oro* y *Soy charro de rancho grande*. En la primera vuelve a compartir estelares con Sofía Alvarez, que da vida a Chabela Vargas, una machorra que conquista a Lorenzo (Pedro Infante), un amigo de la infancia pistola en mano.

En la segunda, que tiene el mismo reparto, pues se filmó al mismo tiempo, Pedro es Paco Aldama, un charro que viaja a la capital a competir y vencer a charros de toda la República, y regresar a tiempo para recuperar a su novia Cristina (Sofía Alvarez), que estaba a punto de casarse por despecho con el dueño del rancho, don Florencio (René Cardona).

René Cardona lo dirige en *Cartas marcadas* (1947), una comedia en la que su madrina pone como condición para que reciban su herencia, que Manuel debe casarse con Victoria (Marga López), a la que detesta. Durante la mayor parte de la película, ambos se la pasan tratando de que el otro desista de sus propósitos, pero cuando se enteran de que no están obligados a casarse, deciden fugarse para hacerlo.

Vuelve a trabajar con él tres años después en *También de dolor se canta*, en la que es Braulio Peláez, un maestro con lentes de fondo de botella, al que Guillermina Green, lo quiere convertir en charro para que la acompañe en sus películas.

La cinta sirve de excusa para que aparezcan estrellas como Germán Valdés Tin Tan con el que había trabajado en el Teatro Follies Bergere, en 1947, o Pedro Vargas, con el que canta sintomáticamente *La negra noche*.

Curiosamente la cinta se restrenó tras su muerte, anunciando que "se trataba de la película que unió a Pedro Infante e Irma Dorantes para toda la vida".

El popular Emilio "Indio" Fernández lo dirigió en 1950 en *Islas Marías*, un melodrama desatado en el que Pedro es Felipe, un fallido estudiante de medicina que decide sacrificarse e ir a la cárcel para conservar el honor de sus hermanos Alejandra (Ester Luquín), quien mató a su burlador, y de su hermano Ricardo (Jaime Fernández), quien se suicidó ante el temor del escándalo.

En el penal, Felipe se enamorará de la dulce María (Rocío Sagaón), se casará con ella y tendrán un hijo, al que luego de purgar su condena llevarán a conocer a su abuela, la estoica doña Rosa Suárez, viuda de Ortiz (Rosario Revueltas), que luego de innumerables penalidades, ha terminado ciega y pidiendo limosna en la Basílica.

El gran director veracruzano Fernando de Fuentes, responsable de clásicos como *El compadre Mendoza* y *Vámonos con Pancho Villa*, solamente dirigió a Pedro en una divertida comedia ranchera titulada *Los hijos de María Morales*. Pedro es Pepe Morales y su amigo Antonio Badú su hermano Luis. Ambos personajes son parranderos y jugadores, que solamente pueden ser metidos en cintura por su machorra progenitora, una divertida Emma Roldán, que finalmente los hace sentar cabeza, y casarse con Gloria y María (Carmelita González e Irma Dorantes).

La publicidad durante el estreno en los cines Colonial, Florida (el más grande de la ciudad) y Ermita decía: "mi mejor película y eso lo dice todo."

Carmen Sevilla interpreta a la cantante española Pastora, en *Gitana tenías que ser* (1953), de Rafael Baledón, que viene a filmar a México una película, y tras descartar a Jorge Negrete, Toño Badú y varios más, se "conforma" con Pablo Mendoza (Pedro Infante), un mariachi de Garibaldi, con quien debe fingir un romance para promocionar la película, pero del que acaba profundamente enamorada.

Vicente Oroná lo dirige por única vez en *Los gavilanes* (1954), que fue anunciada en su estreno en el cine México como "un nuevo triunfo de Pedro Infante, encarnando a un héroe sentimental y justiciero". La publicidad aseguraba que "la cinta "conmueve por su ternura, divierte por sus aventuras, emociona por su acción y apasiona por su historia".

En la cinta, Pedro da vida a Juan Menchaca, un justiciero que se lanza a la sierra a combatir el caciquismo, luego de perder a su novia Rosa María (Ana Bertha Lepe) que se mata cuando iba a ser violada por el cacique y tiene que conformarse con Rosaura (Lilia Prado), que pese a ser la hija del hacendado, se convierte en una buena soldadera. Todo aderezado con líos familiares y la pequeña actricita Angélica María, capaz de domar hasta los más rudos combatientes.

El chihuahuense Julián Soler sólo lo dirigió en *La tercera palabra* (1955), una adaptación de una solemne obra de Alejandro Casasola, en la que el cantante interpreta a Pablo Saldaña, un buen salvaje de 28 años que ha vivido alejado de la hipocresía del mundo, y al que tratan de educar sus amorosas tías Matilde (Sara García) y Angelina (Prudencia Griffel) con la ayuda de la bella maestra Margarita (Marga López), que tiene un pasado que él la ayudará a olvidar.

En *Pablo y Carolina* (1955), una comedia mundana de Mauricio de la Serna, es Pablo Garza, un norteño que debe conquistar a la rica frívola Carolina Sirol (la rubia polaca Irasema Dilián), que disfrazada de hombre, corre parrandas con el héroe, lo que da lugar a los consabidos equívocos sexuales.

Pedro Infante se dio tiempo para hacer actuaciones especiales en diversas películas.

# Actuaciones especiales

Ya convertido en una estrella rutilante, Pedro se dio el tiempo de hacer actuaciones especiales en filmes como *Había una vez un marido* y *Sí mi vida*, de Fernando Méndez, unas comedias juveniles con Rafael Baledón, un maestro sexy que es celado por su joven esposa, Lina Michel.

En la primera de ellas interpreta *Esta noche*, una composición de José Alfredo Jiménez en una aparición incidental. En la segunda parte repetiría el asunto.

El productor Jesús Grovas había intentado filmar una cinta con Pedro en varias ocasiones y al fin lo consiguió en *Por ellas aunque mal paguen,* que no es otra cosa que una nueva versión de *Al son de la marimba*, una comedia ranchera que Juan Bustillo Oro había filmado en 1940 con Fernando Soler y Emilio Tuero.

En realidad, se trataba de un intento de lanzar al estrellato a Ángel Infante (José Manuel Campos), presentando a Pedro como "su amigo" en la serenata que da a su novia Isabel (Silvia Pinal), con la canción de Luis Pérez Meza, *Las Isabeles,* y luego pidiendo que la perdone.

La idea del productor era convertir a Ángel en estrella, pues tenía contrato con él. Ángel se había iniciado en el cine cuatro años y había coestelarizado *Corazón de fiera,* de Ernesto Cortázar dos años antes, al lado de Antonio Badú. Pedro se prestó de buena gana para auxiliar a su hermano mayor y accedió interpretar no dos, sino cuatro canciones en la cinta, además de que hizo cuatro escenas.

La cinta se estrenó en el cine Palacio Chino, y tuvo cierto éxito debido a que se anunciaban "canciones de los hermanos Infante, que todo el mundo cantará".

Ángel se defendió de los que decían que se trataba de un aprovechado diciendo "no trato de imitar a mi hermano. Anhelo ser un actor de mediana categoría con personalidad propia", y admitía que "toda su carrera se la debía a Pedro, a quien admiro como actor y lo quiero como a un padre, pese a que soy un año mayor que él".

Su siguiente filme, *Esos de Pénjamo,* con el mismo Juan Bustillo Oro ya sin el apoyo de Pedro, mostró que sólo había un Infante con calidad de ídolo.

Pedro volvió a trabajar con el *"Indio"* Fernández en *Reportaje,* un filme en el que participan las más famosas estrellas del cine nacional con fines benéficos, y entre los que solamente mencionaremos a Jorge Negrete, María Félix y Arturo de Córdoba.

Pedro personifica a Edmundo Bernal, un rico empresario que va a casarse con otra bella española, Carmen Sevilla, y que es confesado por un sacerdote (Julián Soler) por instancias del espíritu de su padre, pues va a morir.

# Discos y compositores

Aunque a Pedro le gustaban todo tipo de ritmos y canciones, al comienzo de su carrera su repertorio estaba configurado principalmente por boleros.

Por ejemplo, cantó *Consentida*, en la fallida prueba que hizo en la XEW.

Ernesto Belloc, uno de los encargados de la XEB, donde finalmente fue contratado tras cantar *Nocturnal*, consideraba que la voz de Pedro "le pareció muy capretina, muy nasal y poco radiofónica, pues adolecía de muchos vicios de dicción y aunque no descuadraba, era desentonado en las notas agudas, donde alcanzaba tesituras que un tenor operístico envidiaría".

Con la ayuda del pianista Guillermo Álvarez y Álvarez, se dieron a la tarea de subsanar esos defectos.

En 1943 hizo una prueba en la RCA Víctor con las canciones *Guajirita* y *Te estoy queriendo*, dos boleros tropicales de Mario Ruiz Suárez, el último con letra de Ricardo López Méndez, que fueron consideradas por Mariano Rivera Conde, uno de los ejecutivos de la firma "como un fracaso", pues solamente se vendieron sólo 100 de los 500 discos que se editaron y que son muy difíciles de conseguir en la actualidad.

Conviene recordar que se trata de grabaciones en discos de pasta de 78 revoluciones por minuto, que traían una canción por lado y que actualmente se consideran como curiosidad de museo.

En cambio, a fines de ese año, el director de Discos *Perless*, Guillermo Knorhauser confió en él, y sin muchas pruebas lo firmó en exclusividad, pese a las reticencias de la compañía disquera del perrito.

Y aunque recibiría millonarias ofertas de otras disqueras, Pedro siempre respetaría a quien le había tenido confianza cuando no era conocido.

"En 1944, don Guillermo tuvo la idea de cambiarme el estilo de bolerista y me lanzó mejor en el género ranchero. Yo estaba dispuesto a atorarle. Y le dije a don Memo: Lo que usted diga, yo me aviento, porque sé que lo ranchero también lo puedo jalar. Y ya ven que rete suave salió, ¿qué no? A todo mi público le caí bien de charro y cantando canciones rancheras. Dios me ayudó mucho para que me aceptaran", recordaba.

Con la *Perless*, Pedro grabaría 324 canciones entre 1943 y 1956, 98 de ellas interpretadas en sus películas y que fueron editadas por *Discos Orfeón*.

Hay piezas de las que existen dos versiones, como *Yo soy quien soy*, o *El papalote*, pues existe la de la película y la de estudio, que se grabó posteriormente.

Además hubo canciones que se utilizaron en diferentes películas como *Serenata sin luna,* que se cantó en *Cartas marcadas,* y en *Un rincón cerca del cielo,* o el *Corrido de Monterrey,* que se interpreta en *Cuando lloran los valientes,* o en *Pablo y Carolina,* por solamente mencionar algunas.

Sus primeras grabaciones fueron *Soldado raso,* de Felipe Valdez Leal, *El durazno,* de dominio público, y *Mañana* y el vals *Rosalía.* De esta canción, grabada el 5 de noviembre de 1943, vendió 18 mil copias.

"El milagro de la grabación de discos fue uno de los pasos definitivos de mi carrera, porque no hay otra cosa como las grabaciones que hacen volar las canciones y se obtiene un mayor rendimiento al esfuerzo que se despliega una sola vez. No cumplía los 26 años y ya estaba en los discos la primera melodía para fijar mi carrera artística, y por cierto, su nombre era un maravilloso símbolo para mí", recordaba.

Su disco más vendido es el de las tradicionales *Mañanitas*, que grabó en 1950, y que hasta hace unos años había vendido más de ¡15 millones de copias!

Sin embargo, el acuerdo final al que había llegado con la compañía era de 15 mil pesos por canción, sin derecho a regalías.

El ingeniero Heinz Klinckwort, director artístico del cantante durante algún tiempo, explica que "Pedro acostumbraba grabar los sábados. Grabar con él daba gusto, porque él era muy talentoso: muy rara vez se sabía una canción del programa por grabar, pero en 15 minutos se la aprendía; otros 15 para encontrar la propia interpretación, más 15 adicionales para grabar la melodía con acierto. Finalmente, grababa en un día entre ocho y diez canciones, casi un disco de larga duración por sesión".

La canción emblema de Pedro Infante fue sin duda *Amorcito corazón*, de Pedro de Urdimalas y Manuel Esperón, que aunque fue cantada en la película *Nosotros los pobres*, se grabó hasta el 23 de abril de 1949.

El compositor recuerda que Ismael Rodríguez le encargó una canción muy sencilla para la película, que le costó mucho trabajo a Esperón, y que ya estando a punto de renunciar, tocó en el piano, la melodía que habría de convertirse en el himno de los pobres.

Otros de sus grandes éxitos fueron *Cien años*, de Alberto Cervantes, y *Pénjamo*, de Rubén Méndez, que en unos cuantos días vendió 70 mil copias.

Sus canciones favoritas eran *Mi cariñito* , que interpreta en *Vuelven los Tres García*, *La Adelita*, *El corrido de Guanajuato* y *El último fracaso*.

Entre sus compositores favoritos estaba José Alfredo Jiménez, de quien grabó *Viejos amigos*, *Tu recuerdo y yo*, *Esta noche*, *La que se fué*, *Ella*, *Que suerte la mía*, *Corazón, corazón*, *Serenata huasteca*, *Cuando el destino*, *Un día nublado*, *Serenata sin luna*, *Mi tenampa*, *Paloma querida*, entre otras.

Conviene señalar que Pedro le pidió a José Alfredo que le compusiera una canción a su querida Irma Dorantes.

El compositor comenzó utilizando la frase "Ratoncito", que era el apodo cariñoso que le había puesto Pedro. Pero el asunto se cambió a *Despacito*, que fue el que finalmente llevó.

Del inolvidable cronista urbano Chava Flores, grabó *Ingrata pérfida*, *La tertulia* y *Peso sobre peso*.

Aunque no se debe considerar como un cantante para niños, tiene varias piezas dedicadas a ellos como *El osito carpintero*, *El piojo y la pulga* y *El conejo Blas*, entre otras.

El tema *Yo no fui*, uno de los números musicales de *ATM*, original de Consuelito Velázquez, regresó a los primeros lugares de popularidad en la interpretación de Pedro Fernández. Sin embargo, la versión de Pedro, es un auténtico clásico insuperable.

Su último disco fue grabado en diciembre de 1956, y contenía dos canciones de Cuco Sánchez: *Corazón apasionado* y *La cama de piedra*.

Existen en la actualidad unos 55 discos de larga duración agrupados bajo títulos como *15 éxitos*; *15 inmortales*; *15 inolvidables*; *16 éxitos rancheros*; *30 éxitos*; *volumen II*; *60 boleros de oro*; *Serenata con Pedro Infante, Antología*; *Bolero, Bolero*; *Boleros de oro*; *Colección de oro*; *En las cantinas, volumen 4*; *Felicidades*; *30 éxitos de José Alfredo Jiménez*; *Mis primeros éxitos*; *Rico vacilón*; *Serenata del siglo*; y *Valses mexicanos*.

Pedro trabajó con muchos mariachis. Los principales fueron el Guadalajara, de Silvestre Vargas; Los mamertos; el Perla de Occidente, de Marcelino Ortega, y el de Manolo Huitrón, que utilizaba dos trompetas.

Gracias a los avances tecnológicos, han aparecido discos con Vicente Fernández, Manuel Mijares y otros intérpretes de éxito.

Sin embargo, la mayoría prefiere sus grabaciones originales.

Conviene señalar que Guadalupe Infante Torrentera, interpuso una demanda por 24 millones de dólares a la *Warner Music*, que adquirió las grabaciones de la *Perless*, "por concepto de regalías no pagadas".

La disquera argumentó que ése no era el trato que tenían con el cantante, que prefirió ceder los derechos por una cantidad en efectivo. Sin embargo, los abogados de la empresa no exhibieron el contrato.

# Católico guadalupano

De niño, Pedro no fue muy religioso, cosa que puede explicarse, porque en el pequeño poblado de Guamúchil no hubo iglesia, sino hasta mediados de los años 40, cuando Pedro ya había salido de ahí.

Sin embargo, su esposa María Luisa León, sí era muy creyente y acabó trasmitiendo su fe al humilde carpintero.

Cuando llegaron a la capital y se encontraba sin trabajo, lo convenció de que fuera a rezar a la Iglesia de San José, en las calles de Ayuntamiento, a San Nicolás de Neri, quien es el patrono de los desempleados, y al Señor del Santo Entierro.

Sus ruegos fueron escuchados, lo que ayudó a incrementar su fe y a que aceptara casarse por la Iglesia en la Catedral Metropolitana.

"En esa época teníamos la devoción de ir cada día 12 a visitar a la Santísima Virgen de Guadalupe. Nos íbamos en un camión hasta la garita de Peralvillo, y de ahí hasta el Tepeyac a pie. Con todo el fervor le pedíamos que nos siguiera ayudando. También íbamos a rezar y llevar flores a la tumba del Padre Pro, al cementerio de Dolores, sin dejar ni un día de pasar a la Virgen del Sagrado Corazón y al Señor del Santo Entierro, e invariablemente seguíamos asistiendo con toda devoción los lunes a San Nicolás de Bari", recuerda María Luisa León.

En momentos de apuro, como en sus accidentes de aviación, la pareja rezaba con gran devoción sobre todo a la Santísima Virgen del Sagrado Corazón.

En su casa de Cuajimalpa mandó construir una capilla en la que rezaba diariamente.

En 1954, el cantante participó en el maratón televisivo para recaudar fondos, y le fue otorgado un galardón guadalupano que él conservaba como uno de sus máximos tesoros.

Dos años después actuó en una función de beneficencia en Huajapan, Oaxaca para la construcción del Templo de Nuestra Señora de Guadalupe en esa localidad.

# Buen corazón

**T**al vez por su origen humilde, y por las múltiples privaciones que sufrió en su vida, pero lo cierto es que Pedro Infante tenía un corazón de oro y siempre trataba de ayudar a los más necesitados.

Por ejemplo, el 23 de octubre de 1954, condujo durante 30 horas el maratón televisivo para reunir fondos para las obras de la Basílica de Guadalupe. Él comenzó la colecta donando cinco mil pesos, objetivo que consiguió con creces al recaudar un millón trescientos mil pesos.

Durante la emisión trasmitida en vivo (en esa época todavía no existía el videotape), Pedro cantó, platicó y presentó a todos los artistas que se encontraban en el estudio 1 del canal 4, localizado en el edificio de la Lotería Nacional.

El actor permitió, incluso, que se le rasurara frente a las cámaras, luego de que se cumplieron 20 horas de transmisión.

Posteriormente, el 10 de enero de 1955, fue uno de los encargados en repartir las medallas de la Gratitud Guadalupana a todos los que participaron en el maratón televisivo.

Su amigo Alfonso Rodríguez, quien le ayudó a conseguir sus primeros contratos y quien fue testigo en su boda, llegó un día a las puertas de la XEW, en silla de ruedas.

Al verlo en tan mal estado, Pedro lo abrazó y lloraron juntos. Le dijo qué podía hacer por él, y el ex mesero le explicó que necesitaba de una costosa operación para recuperarse.

El cantante pagó los 10 mil pesos de la intervención y los gastos de recuperación de quien había demostrado que era su amigo en los momentos difíciles.

Otra anécdota que lo retrata de pies a cabeza, ocurrió durante la filmación de *Nosotros los pobres*. Durante uno de los descansos, un niño se le acercó con un taco frío y le dijo, que se lo regalaba "porque le dijeron que usted es como nosotros los pobres".

Visiblemente conmovido, el actor se llevó al pequeño a su casa, y le entregó a sus padres un billete de 100 pesos, para que lo inscribieran en la escuela y pudiera estudiar sin apremios económicos.

Otra anécdota muy conocida, cuenta que tenía un hermoso sarape de Saltillo que le habían pedido generales, artistas, amigos y hasta parientes.

Pedro siempre se había negado, pues le tenía mucho cariño a la prenda, hasta que un día que andaba de gira por Guadalajara, se encontró a un anciano que atendía un puesto de comida y que titiritaba de frío.

Pedro se quitó la prenda y le dijo, "ándele jefecito, váyase a dormir, no es hora de que esté aquí", y le dio dinero.

El anciano agradecido intentó besarle la mano, pero Pedro se negó.

# Parejas fílmicas

Con la fama de enamorado que tenía Pedro Infante, no es de extrañar que la prensa le inventara romances con sus parejas en la pantalla.

Sin embargo, se mostró muy respetuoso con la mayoría de sus compañeras, pues casi todas ellas eran casadas o ya tenían pareja.

Su ideal fílmico fue sin duda María Blanca Estela Pavón Vasconcelos, con la que hizo seis de sus 16 películas. Sin embargo, la actriz nacida el 21 de febrero de 1926 en Minatitlán, era novia de Rogelio A. González, argumentista, actor y finalmente director de muchas de las cintas de Pedro, quien como buen amigo, respetaba a la actriz y la consideraba como una especie de hermana menor.

"Es como una hermana. Y en el set o en los foros de los teatros, siempre hay un puente de comprensión que nos hace amable el trabajo", confesó Pedro en una entrevista.

En la mayor parte de sus cintas, la pareja veía truncado su amor por una tragedia. Solamente en una ocasión tuvieron un final feliz, en *Ustedes los ricos*, y eso después de sufrir mucho.

Ese trágico destino fílmico se tornó en una amarga realidad, cuando la actriz murió al estrellarse el DC-3 que la traía de regreso a la capital, luego de cumplir una gira artística por Oaxaca, el 26 de septiembre de 1949.

Pedro y su hermano se apuntaron en una de las brigadas de rescate que recuperaron el cuerpo en las faldas del Popocatépetl, aunque finalmente se le impidió participar en el rescate, porque carecían del entrenamiento necesario.

Lo cierto es que lloró desconsoladamente durante el sepelio.

Marga López, quien compartió estelares con él en seis películas, lo recuerda como "una gente muy generosa, un niño grandote que acostumbraba jugar con sus hijos", y lo consideraba "un actor natural que fue mejorando en el transcurso de su carrera".

Lilia Prado, la actriz michoacana quien lo acompañó también en seis películas, señala en cambio que "era un enamorado en serio, pero era encantador e irresistible, aunque supo ser un caballero cuando se dio cuenta de que no había posibilidad de nada conmigo".

Silvia Pinal, quien alternó con él en cuatro cintas, lo consideraba "una persona muy sencilla aferrado a su manera de vivir y trabajar" y desechó los rumores de que estuviera enamorado de ella, "si acaso uno de esos enamoramientos rápidos".

La bella española Sarita Montiel, con la que trabajó en tres ocasiones, señalaba que "Pedro fue mi mejor pareja en la pantalla. Era un hombre maravilloso. Cantaba sensacionalmente. Era sencillo, popular y la gente lo quería mucho. Hicimos una pareja muy buena, de tal manera que filmamos tres películas seguidas, porque como pareja dábamos muy bien".

La estrella argentina Libertad Lamarque, con quien hizo dos películas, lo consideraba "un monstruo sagrado de la cinematografía nacional", y además, como "un amado niño feliz, travieso, juguetón y bromista, que acostumbraba tomarle el pelo, sobre todo en lo referente al acento argentino de la intérprete".

Sara García, a la que Pedro trataba cariñosamente como "madrecita", recordaba que tuvo que convencer a Pedro para que actuara en *Los Tres García*, pues decía que "era un simple mariachi, que no podía actuar al lado de grandes actores como Fernando Soler, Carlos Orellana, o yo".

La abuelita del cine nacional le dijo que "se imaginara que era una principiante. Y como todas las escenas las tenemos usted y yo, ensayémoslas juntos".

"Pedro era muy buen actor, lo llevaba dentro y sólo faltaba estimularlo."

Rosita Quintana, quien lo acompañó en *El mil amores*, lo definía como un hombre "juguetón y ligero", y lo recuerda como "su mejor compañero de trabajo, una persona muy educada y amable en todos los sentidos".

Curiosamente no todos son elogios. Silvia Derbez, quien compartió estelares en dos ocasiones, recordaba que Infante "de manera casual se equivocaba después de la escena del beso. Al cabo de 27 tomas me llamó diciendo que alguien quería verme. Me jaló y me dio un beso. Yo le di un cachetadón y le dije que no aceptaba esas muestras de cariño fuera de cámara".

En cambio Rosita Arenas, quien participó en tres cintas con él, se quejaba "que en toda la película nada más me dio un beso".

A María Félix, sin duda la más famosa de sus acompañantes, no dejó pasar ni un día de filmación, sin tratar de conquistarla.

# Escuderos cómicos

Como toda estrella fílmica que se preciara de tal, Pedro debía tener un escudero cómico que lo acompañara. Y si Jorge Negrete tuvo a Armando Soto La Marina, mejor conocido como el "Chicote" como patiño en muchas de sus películas, Pedro se apoyaría en el simpático Fernando Soto "Mantequilla", quien lo acompañaría en nueve películas.

Sus más simpáticas interpretaciones son como el compañero del *Seminarista* o del *pocho* amigo de Pepe el "Toro", en *Ustedes los ricos*.

Eulalio González, quien fue bautizado como "Piporro" por el propio Pedro durante la radionovela *Ahí viene Martín Corona*, y luego en las cintas que se hicieron sobre la serie y en *Cuidado con el amor*.

Pedro también se dio el lujo de incluir al "Chicote" en *Cartas Marcadas*, en donde incluso canta con él *La gallina ponedora*, "esa que pone un huevito cada hora".

Evita Muñoz, quien había hecho carrera con los Rodríguez como la estrella infantil del cine nacional, fue incluida en calidad de estrella para apoyar a Infante en la trilogía de *Nosotros los pobres*.

"Con Pedro cultivamos gran amistad, más fuera de los foros que dentro. También con su esposa Irma Dorantes, hasta me hice su comadre, porque bauticé a Irmita, su hija, en la Basílica de Guadalupe. Yo siempre la visitaba porque Pedro estaba permanentemente de gira. Eso sí, cuando nos reuníamos había mucha comunicación y cariño".

Igualmente cómicas resultaron las actuaciones infantiles de María Eugenia Llamas, la "Tucita", en *Los tres huastecos*, de Titina Romay en *Angelitos negros*, o de Angélica María en *Los gavilanes*, quien recordaba que era un actor maravilloso "que la trató muy bien, la apapachó, por lo que yo le dije que era su novia".

# Sus amores

Pese a su fama de *Mil amores* como el título de una de sus cintas y fama de muy enamorado, se le inventaban romances con sus parejas fílmicas, que en realidad se pueden contar con los dedos de las manos las mujeres que dejaron huella en su vida.

En una entrevista concedida en 1953 a *Selecciones musicales* en la que le preguntaban respecto a sus gustos sobre mujeres, confesaba que "le era indiferente que fueran altas o bajitas, rubias o morenas", y declaraba sintomáticamente que "todas las mujeres son bonitas".

Sin embargo, se sabe que algo que le gustaba mucho de las mujeres eran sus ojos, pues es algo que alababa en María Luisa León o en Irma Dorantes, cuyos ojos verdes lo atrajeron a primera vista.

En su libro *Pedro Infante, el máximo ídolo de México*, de José Infante Quintanilla, asegura que Pedro conoció a Guadalupe López (según unas versiones, Márquez) en un baile en 1934. Fue su primera novia formal, y tras un año de relaciones, tuvo una hija a la que bautizaron como Dora Luisa Infante López. Como tenía sólo 17 años, Pedro decide que estaba muy joven para casarse y pide a su hermana Conchita, que vivía en Mazatlán, que se hiciera cargo de la niña, que de acuerdo con diversos testimonios, es la que más se parecía a Pedro en lo físico y en el carácter.

Dora falleció en un accidente automovilístico el 17 de marzo de 1974.

Por su parte, Guadalupe se casaría poco después con un médico apellidado Rodríguez y moriría muy joven.

Tras un noviazgo de cuatro meses con Bertha Olea, el 30 de mayo de 1937, durante un bautizo en Culiacán en el que formaba parte de la variedad, conoció a María Luisa León, hija de una familia de buena posición social, de la que se enamora.

Ella se convierte en su primera esposa, tras un corto noviazgo al que se oponen ambas familias, pues ella era ocho años mayor.

"En nuestro ambiente no era posible ocultar un amor que no tenía límites ni perjuicios. Una tarde Pedro me dijo resueltamente: tenemos que irnos. Tú sabes que mis medios no me permiten casarnos aquí, lo que gano no me alcanzaría para sostenerte. Nos iremos a México", relata María Luisa en su libro *Pedro Infante en la intimidad conmigo*.

Yo le contesté, "lucharemos, cantaré contigo y trabajaremos juntos".

—"¿Qué, qué? Eso no. Seré yo quien trabaje solo. Tú estarás esperándome en casa. Trabajaré en lo que sea o cantaré", concluyó Pedro.

Juntos viajaron a la ciudad de México en busca de fortuna y para poder vivir libremente. Su primer domicilio fue un cuarto en Ayuntamiento 41, a unos pasos de la XEW, donde Pedro espera cantar. La renta es de 18 pesos.

"En el cuarto amueblado había una vieja cama con un buró, una mesita, un pequeño armario, un perchero colgado a la pared. Ése fue el mobilario de nuestro primer nido de amor", recuerda María Luisa.

Como el lugar estaba infestado de ratas, buscan otro de inmediato en las cercanías.

Es entonces cuando el director musical de la XEW, Amado C. Guzmán, después de oírlo cantar *Consentida*, le recomienda "que mejor se regrese a la carpintería".

Tras muchas penalidades Pedro consiguió un trabajo estable en la XEB.

La pareja se puede casar por lo civil el 19 de junio de 1939, a las 11 de la mañana ante el juez Vicente Cárdenas.

Conviene señalar que en el acta matrimonial, Pedro se presentó como empleado, y que María Luisa León Rojas declaró que tenía 22 años, uno menos que Pedro, tal vez por temor al qué dirán.

La pareja dio como dirección la calle de Abraham González 110, el mismo domicilio de sus testigos, su amigo el mesero Alfonso Rodríguez y su esposa Josefina Tapia.

Los otros testigos fueron el chofer Luis Quintero y el ama de casa María Francisca Lavalle.

Doce días después la pareja contrajo matrimonio religioso en la Catedral. Ningún familiar asistió a las ceremonias. María Luisa aseguraba que su padre, Agustín León Sánchez ya había muerto, y que su madre Rosario Rojas, se encontraba en Culiacán.

Pedro utilizó un traje de charro que ganó en un concurso de aficionados en el teatro Colonial al que lo llevó un paisano.

El premio le fue entregado por el cómico Jesús Martínez "Palillo", quien le auguró "un futuro triunfador", luego de oírlo cantar *Vereda tropical*.

A partir de ese momento, María Luisa se convirtió en una segunda madre para Pedro, y lo llamaba "nene, hijo querido".

Él fingía que era un bebé para que lo consintieran y cuando quería evitar alguna reprimenda, según cuenta María Luisa en su libro.

Para desgracia de la pareja, ella no podía tener hijos, y por eso decidieron adoptar a una sobrina de Pedro, a la que bautizaron como Dora Luz, y quien fallecería en un accidente automovilístico en 1974.

Durante 10 años la pareja vivió una relación feliz, hasta que Pedro conoció a la bailarina Lupita Torrentera.

Aunque nunca se casó con ella, tuvo tres hijos: Graciela Margarita, que nació en 1947, Pedro (1950) y Guadalupe (1951).

En su libro *Un gran amor*, Lupita cuenta que a los 15 años actuaba en el teatro Follies, después del acto de Pedro bailando flamenco.

"Me tocaba verlo porque yo tenía que estar lista unos minutos antes. Terminando su número, él se quitaba el sombrero y se sentaba en cuclillas a verme bailar. Me gustaba y me ponía nerviosa. Le pregunté que por qué hacía eso, y me respondió campechanamente: ¡Para verle las piernas!"

Pese a las recomendaciones de su madre, que decía que se trataba de un hombre casado, la pareja sostuvo un romance apasionado.

Una noche la madre de Lupita, su comadre Juana y un cuñado provistos de botes de gasolina, se presentaron a la casa de Pedro, en Rebsamen 70, para quemarla.

Lupita estaba embarazada y como el cantante era un hombre casado, querían vengar la afrenta.

María Luisa atestiguaba muda la escena.

Ante su asombro, lejos de enojarse, Pedro respondió: "Doña Margarita, ¡en este momento me hace el hombre más feliz de la Tierra! ¡Le doy mi palabra que cumpliré con su hija!".

Pedro les puso a la familia una casa en la colonia Nápoles, y les dio lo necesario para que Lupita no tuviera que volver a trabajar.

Su primera hija nació mientras Pedro se encontraba de gira en Colombia.

La pareja vivió sus primeras horas de tragedia, cuando la pequeña Graciela falleció cuando tenía solamente un año y cuatro meses.

El actor estaba de gira y cuando regresó la niña ya estaba enterrada. "Iba muy seguido al panteón a llevarle flores a su tumba, más que yo".

"Como buen latino era celoso, dominante y posesivo. Muy similar a los personajes que representaba en el cine. Era exageradamente masculino y sensual: me gustaba su físico, me fascinaba su manera de ser y de hacerme sentir amada. Me llevaba serenatas con el mariachi Vargas y con un trío. Gozaba llevando invitados a comer a la casa, entre ellos sus hermanos José y Angel", recordaba la bailarina en sus memorias.

Luego de cinco años de relaciones, Lupita decidió abandonarlo. Cansada de las infidelidades, Lupita abandonó la casa en la que había vivido en Lindavista 228, y terminó con Pedro por carta.

"Yo tenía 20 años de edad y dos hijos pequeños. Adoraba a Pedro, pero ya no soportaba seguir sufriendo. Él me estuvo buscando durante 11 meses, pero yo había decidido que no debía volver a lo mismo. Sin embargo, nunca se desentendió de nuestros hijos. Buscaba la manera de hacerles llegar su apoyo económico y moral, pero sobre todo mostrarles su inmenso amor".

Quería asegurar una pensión alimenticia para sus hijos, y no tuvo necesidad de llegar a la Corte, pues al fin y al cabo era un buen padre que no quería que le faltara nada a sus hijos.

Pedro había encontrado un nuevo amor y a finales de 1951, decide divorciarse de María Luisa León, utilizando una firma apócrifa, en un juzgado de Tecala, Morelos.

Sin embargo, María Luisa reacciona violentamente, e interpuso un amparo contra el divorcio al vapor.

Pese a ello, Pedro decidió contraer matrimonio en Mérida con la joven actriz que lo había cautivado desde *Los tres huastecos*, Irma Aguirre, que posteriormente adquirió el nombre artístico de Irma Dorantes.

La boda se celebró el 10 de marzo de 1953. Los testigos de la ceremonia fueron don Ruperto Prado, Rita Martínez y Víctor Vidal.

Había conocido a la joven ojiverde en 1948, cuando representaba a tres personajes en ese mismo año.

A diferencia de sus otras mujeres, la ojiverde aparecería en otras cinco películas, pues Pedro parecía dispuesto a

ayudarla en su carrera cinematográfica, y trataba de poner-
la en sus películas cuando se pudiera.

Con ella procreó una pequeña a la que bautizaron como
Irma.

"Haberlo conocido fue una bendición de Dios", decía
la actriz, que no acostumbra hablar de su amado, "pues
todo el mundo se cree dueño de Pedro Infante, pero yo soy
la verdadera dueña, y la vida privada de uno empieza desde la puerta de la casa".

En cambio, María Luisa León le recriminó su conducta.
"Ya me colmaste, me cansé de ser tu poste. Ahora te vas a
recargar en otra para que te soporte la tercera parte de lo
que yo te he aguantado. En este momento llamo al licencia-
do para demandarte el divorcio".

Sintomáticamente ahora fue Pedro el que no quiso divorciarse.

Sin embargo, el amparo contra el falso divorcio solici-
tado por María Luisa León, le fue otorgado en julio, y el 19
de septiembre de 1953, se presentó ante el Juzgado Mixto
de Primera Instancia de Villa Obregón, para solicitar la anu-
lación del matrimonio con Irma Dorantes.

Entre tanto, el 17 de marzo de 1954 falleció don Delfino,
víctima de un infarto en el Instituto de Cardiología.

El mundo artístico acompañó al ídolo en su dolor, y
acudió al funeral en el Panteón Jardín.

Mientras tanto, Irma Dorantes se amparó ante la Suprema Corte, argumentando que era menor de edad.

Sin embargo, el 9 de abril de 1957, la Suprema Corte
falló en su contra y anuló el matrimonio, lo que causó un
escándalo y terminó con el descanso que tomaba en Mérida
el actor.

Pedro quiso regresar a arreglar el asunto, pero murió
seis días después en un accidente de aviación.

En medio de la desesperación, María Luisa aseguró que
había estado dispuesta a otorgarle el divorcio a Pedro.

# Una anécdota

Poco antes de su muerte, acaecida el 20 de agosto de 1995, el actor Víctor Manuel Mendoza, concedió una entrevista a Irene Gómez Baas, una reportera de la revista *Tiempo*, que era una fanática de hueso colorado de Pedro Infante.

Es lógico pues, que gran parte de la entrevista versara sobre el ídolo. Sin embargo, al momento de publicar la entrevista, Irene dudó en contar una anécdota poco conocida del actor, que nos había referido a sus compañeros de redacción.

Contaba don Víctor, que Pedro no estaba acostumbrado a usar ropa interior. Ni camiseta, ni calzones.

La camiseta era algo que otros actores como Clark Gable en *Sucedió una noche* , un clásico de Frank Capra filmado en 1934, no utilizaron. Cuentan que después de esa cinta, las ventas de esa prenda cayeron por los suelos, y los fabricantes urgieron a los productores hollywoodenses que ningún actor volviera a aparecer sin camiseta.

En cambio, los calzones eran una cosa más seria. Tanto Víctor, como doña Sara García, al enterarse del asunto, decidieron comprarle truzas de algodón, o boxers de popelina.

No había caso. Pedro, poco acostumbrado al contacto de esas telas, sentía que le rozaban o le incomodaban, y ni tardo ni perezoso se los quitaba.

Era común pues, que entre la tramoya se encontraran enrollados o escondidos unos calzones.

Al enterarse, doña Sara asumía su rol de abuelita, y agarraba a bastonazos al rebelde actor que tenía aversión por la ropa interior.

Aunque se cuenta que durante la filmación de *Los Tres García* había dos bastones, uno de utilería y otro de madera, doña Sara acostumbraba utilizar el de madera para impartir justicia.

Y cuando le reclamaban por los golpes, ella contestaba: "Es que siento mucho mi papel, y mientras mejor salgan las actuaciones, mejor sale la película."

# Deportista comelón

El círculo vicioso entre comer desmesuradamente y hacer ejercicio todo el día, determinó la apariencia física del carpintero de Guamúchil.

Pedro siempre fue un apasionado del deporte, y a diferencia de los personajes de sus películas, nunca tomaba alcohol, debido a su diabetes, lo que no impedía que anunciara en los diarios bebidas de moderación como el Madero XXXXX.

De acuerdo con un testimonio de su esposa María Luisa, "Pedro se levantaba a las cinco de la mañana para correr en el bosque de Chapultepec, donde también acostumbraba a ir a remar".

Regresaba dos horas después a un gimnasio que había acondicionado, donde solía hacer pesas y poleas, por espacio de 30 minutos.

Luego se daba un regaderazo con agua fría y luego con caliente. Se daba una friega con alcohol y luego se ponía colonia *Yardley*.

Se desayunaba un jugo de naranja grande con huevos batidos, un par de huevos fritos con jamón o tocino, o un filete con un huevo estrellado encima. Pan con mantequilla y café con leche.

Se iba a filmar o a grabar.

A su regreso acostumbraba comer sopa caliente, pollo o carne asada, langosta y ensalada. De postre, le gustaba el pastel y el dulce.

También le encantaban los helados y las fresas con crema.

Cuando tenía tiempo, en las tardes se dedicaba a andar en bicicleta.

También tenía una motocicleta *Harley Davidson*, a la que se había aficionado desde que actuó en *ATM*.

En la noche cenaba pollo, ensalada de camarones, leche y pastel.

Así pues, el ejercicio era su defensa ante tanta comida, que por otra parte era una manera de desquitarse de las carencias que tuvo de niño.

Tenía un cuerpo atlético. Sus bíceps estaban muy desarrollados. En cambio, sus piernas mostraban los estragos que habían sufrido por la poliomielitis infantil y lucían muy delgadas en comparación con el resto del cuerpo, por lo que procuraba siempre andar de pantalón largo.

Acostumbraba jugar a las vencidas con los compañeros del *staff*, y era prácticamente invencible.

El actor medía 1.75, pesaba 75 kilogramos, de puro músculo, y calzaba del siete y medio, de acuerdo con los datos apuntados en su licencia de aviación.

En el kilómetro 18 y medio de la carretera a Toluca construyó una casa a su gusto, a la que su familia había bautizado como *El kilómetro*, pues era como un pueblo chico.

La residencia tenía piscina, pues de cuando en cuando le gustaba nadar. También había dos mesas de boliche y una de billar, en las que el actor acostumbraba entretenerse cuando no estaba filmando. También jugaba ajedrez de cuando en cuando.

Había construido una pequeña sala de cine, a la que había bautizado como "El ratón", en la que pasaban películas de 16 milímetros, pues no acostumbraba a ir al cine. Las cintas que pasaban eran de carácter familiar.

La residencia tenía cinco televisores de diferentes tamaños y una sinfonola muy grande.

Tenía además 50 armas de fuego con incrustaciones de piedras preciosas en sus cachas, incluyendo una ametralladora de 15 mil pesos.

Su automóvil era un lujoso *Cadillac*, al que se le conocía como "El dorado".

Y es que esa casa se había convertido en su refugio, en una auténtica fortaleza en la que tenía todo lo que necesitaba.

"Mi mayor satisfacción es la que he tenido por haber construido mi propia casa con el fruto de mi carrera. La gente dice que es una ciudad en miniatura, pero en realidad se exagera la nota", decía.

# Sus mascotas

A falta de hijos en los primeros años de su matrimonio, Pedro volcaba su cariño en animalitos que le servían de compañía.

En su casa con María Luisa, tuvo un perro muy cariñoso al que bautizaron como Dogo.

Además, tuvo en su casa de Cuajimalpa un perico parlanchín que no paraba de hablar, y un enorme perro llamado Linder, mezcla de mastín y gran danés, que hacía honor a su fiera apariencia y que había matado a perros de vecinos y compañeros, pero que lucía como un manso corderito ante su amo.

Se sabe que en el momento de su trágica muerte, le llevaba un changuito y dos perritos como regalo para Irma Dorantes y su hijita.

# Su pasión: la aviación

Desde su infancia, Pedro mostró una afición desmedida por los aviones. Su hermano Ángel recordaba que "desde chiquito Pedro sentía el gusanito por la aviación y siempre anhelaba volar. Hacía avioncitos y creía que él mismo podía volar como los pájaros", recordaba su hermano Ángel.

Incluso, su hermana Carmela estuvo a punto de morir, cuando la convencieron de que si le lanzaba de la azotea podía volar como un pájaro. Lo hizo y se lastimó una pierna, "lo que provocó que mi papá nos regañara fuertemente por aquella travesura", confiesa Ángel.

Pedro le confesó a Carlos Franco Sodja: "nací aviador. Me encanta volar, para mí es lo más grande, lo más bonito. No te imaginas lo que siento cuando voy allá arriba. Muy arribota, tan cerca del cielo, lejos del mundo. Yo solito y mis pensamientos."

"De chico me llamaba la atención cuando algún avión llegaba a pasar. ¿Te acuerdas cuando llegaron los restos de Francisco Sarabia en aquella fortaleza americana y que fuimos a encontrarla? Pues desde ese momento yo sentía que era mi vocación", le decía a su esposa.

El famoso piloto duranguense Francisco Sarabia fue el fundador de la primera Escuela Mexicana de Aviación Civil en 1929. Entre sus hazañas, está la de haber realizado un viaje sin escalas de Los Angeles a México, en 1938, y un año después a bordo del *Conquistador de los Cielos* voló de México a Nueva York en 10 horas y 48 minutos. Pero en su viaje de regreso, el 7 de junio de 1939, falló un motor y se estrelló en el río Potomac. Sus restos fueron trasladados a la Rotonda de los Hombres Ilustres.

Sin avioneta propia, Pedro decidió tomar clases de vuelo con Julián Villarreal, dueño de una línea aérea de carga, que lo llevó por primera vez a Mérida en 1945.

Se compró un simulador de vuelo LMT, que costó 10 mil dólares, en el que acostumbraba practicar en su residencia.

Solicitó su licencia de piloto el 4 de enero de 1948, en Mérida, y obtuvo su licencia de piloto privado el 11 de agosto de ese año. El número de su carnet era el 447. Posteriormente, el 9 de marzo de 1949, obtuvo la de piloto comercial.

Luego de obtener su licencia de piloto se compró su primera avioneta, una *Belanca*.

Al querer despegar de Guasave para regresar a Culiacán, junto con el Trío Guasave, en una noche oscura en la que había alineado automóviles con las luces encendidas a lo largo de la pista para obtener una mejor visibilidad, se salió de la ruta y se estrelló con los matorrales, produciéndose una herida en la barbilla.

Los accidentes continuarían. El 22 de mayo de 1949, después de un viaje de descanso en Acapulco, estrenó una avioneta *Cessna* de dos motores, en la que viajaba con Lupita Torrentera.

La nave se salió de ruta y se quedó sin combustible. La avioneta cayó a tierra entre Zitácuaro y San José de Gracia.

Días después el herido confesaba a los reporteros que lo visitaron en el hospital de la capital " que tenía que aterrizar forzosamente y lo iba a hacer en plena carretera. Pero un camión de pasajeros, aun cuando el chofer vio todas mis señales, no quiso hacerme un ladito; detrás iba otro carro. Me desplomaba sin gasolina. Me eché a un lado de la cuneta. El campo, una loma, estaba labrado. Mi tren de aterrizaje no pudo funcionar allí...¡y eso fue todo!"

El cráneo del cantante se estrelló en el tablero de la nave. Algunas astillas se le incrustaron en el cerebro con riesgo de quedar paralítico, ciego o sufrir retraso mental.

El director de la Clínica Central José Gaxiola lo operó junto con el neurocirujano Manuel Velasco Suárez en forma exitosa.

Sin embargo, le quedó una herida que le fue tapada dos años después con una placa de platino en la frente, la que le causaba fuertes dolores de cabeza. Además, tuvo que usar bisoñé, mismo que le fue confeccionado por Miguel Horcasitas.

Eso serviría para bromas de la prensa, que entre los propósitos de Año Nuevo del cantante, siempre pusiera que "quería tener más pelo, aunque fuera postizo".

Aunque Lupita Torrentera fue atendida en la misma clínica, de lesiones menores, Pedro ocultó el hecho a la prensa para evitar un escándalo.

El director Ismael Rodríguez trató de obligarlo a que dejara de volar diciendo que ponía en peligro su vida.

"Tú sabes que volar es lo que más me gusta. Así es que si quieres rompemos nuestro contrato, pero yo no puedo dejar de volar", le respondió Pedro.

Y es más, tras la muerte de Blanca Estela Pavón, lo previno: "sé que voy a terminar en un accidente de aviación y te prevengo: somos el trío triunfador, primero fue la "Chorreada" en avión, yo me voy a dar en la ma... también y tú lo mismo."

En otra avioneta a la que el cantante bautizó como el "Ratón", en honor a su esposa Irma Dorantes, Pedro viajó a Cozumel donde pasó su luna de miel con la actriz ojiverde.

Pedro era un piloto avezado, pues había acumulado 2 mil 989 horas de vuelo, y no las doscientas que pregonaba una de sus canciones favoritas.

En varias ocasiones el intérprete declaró que "quería morir como los pájaros, con las alas abiertas". Y cumplió su promesa.

# El fatal accidente

E l lunes 15 de abril de 1957, un día después del Domingo de Ramos, Pedro se encontraba en Mérida. Se había refugiado en ese lugar para huir del escándalo provocado por la revocación de su divorcio. No tenía pensado grabar discos y su próxima película debía filmarse hasta mayo. Se encontraba solo, pues Irma Dorantes no quiso acompañarlo por temor a que lo acusaran de bigamia. Sin embargo, el actor la extrañaba mucho y le urgía regresar a la capital para arreglar su situación civil.

No había podido volver antes, porque el vuelo de Mexicana en el que pensaba volar tuvo sobrecupo, debido a las vacaciones de Semana Santa.

En el curso del mes se habían registrado cuatro accidentes aéreos en varias partes del mundo, pero él lo consideraba como algo normal.

El avión en el que pensaba viajar era un XA-KUN, un viejo *B-24* veterano de la Fuerza Aérea Estadounidense de la Segunda Guerra Mundial que había sido adquirido como "desecho de guerra" por la compañía de Transportes Aéreos Mexicanos (TAMSA) en 10 mil dólares, para convertirlo en carguero.

Es más, Pedro había de recoger la nave a Miami. Miguel Larocha, un ex trabajador de Tamsa, cuenta que "nadie quiso ir a buscarlo, todos se negaron. Entonces Pedro dijo: yo voy. Sólo así fue como un piloto se aventó a ir con él. La verdad no sé como llegaron con vida a Mérida. ¡El avión estaba todo dado al cuas! De piso solamente tenía unas tablas, ¡en serio! Ya después lo compusieron y lo dejaron flamante".

Sin embargo, "La calabaza", como se le conocía familiarmente a la nave, ya había tenido problemas con anterioridad.

El 24 de diciembre de 1955, había tenido que aterrizar de emergencia en el Centro, California, con 80 pasajeros, luego de que le falló uno de los cuatro motores.

Pedro no estaba programado para estar en el vuelo 904, pero luego de desayunar una docena de huevos con jamón, viajó en su motocicleta hasta el aeropuerto y pidió suplir al copiloto Gerardo de la Torre Limón.

Él fue el que solicitó permiso para despegar.

Mientras esperaba en la pista 10 del aeropuerto, tarareó una de sus canciones favoritas: "quisiera ser airoplano, para de un volido llegar."

El parte de la torre de control fue cielo despejado, y el tiempo de arribo a la ciudad de México estaba estimado en dos horas.

El *Consolidated Vultee B-24 J* comenzó a tener problemas desde el momento en que despegó, a las 7:54 de la mañana. El piloto Víctor Manuel Vidal Lorca era un veterano con 11 mil 389 horas de vuelo.

Pedro y el mecánico Marciano Bautista Azcárraga trataron de ganar altura deshaciéndose de la carga, compuesta por más una tonelada de telas suizas, pescado y otros paquetes durante cinco minutos. Al no conseguirlo intentaron regresar a la pista, pero el avión comenzó a incendiarse mientras caía.

Se cree que los conductos de los motores se taparon y comenzaron a fallar. Al intentar aterrizar, rozó algunos árboles y comenzó a incendiarse.

El *Liberator* se estrelló a las 8:00, entre las calles 54 y 85, y estalló afectando siete casas, principalmente la tienda La Socorrito.

Había quedado boca arriba causando un derrame de combustible y graves incendios en el lugar.

Además de los tripulantes del avión, una señorita de 18 años, Ana Ruth Rosel Chan y Baltazar Martín Cruz fallecieron en el accidente. La primera se encontraba lavando ropa en el patio y pereció quemada por el combustible. El segundo murió un día después, a consecuencia de las quemaduras sufridas por el combustible del avión.

También habían resultado con quemaduras, sus compañeros de trabajo en un taller de camisas, Enrique Gallardo, Dolores Lorca y Fanny Pérez.

El batallón 36 comandado por Juan Vázquez fue el primero en llegar al lugar del accidente, que fue calificado "como el más grave ocurrido en esa ciudad", y comenzó el acarreo de agua y tierra sobre el fuego, hasta la llegada de los bomberos.

El cuerpo de Pedro, el segundo en ser rescatado de la nave, quedó reducido a una cuarta parte de su peso debido a las llamas. Solamente quedaron reconocibles la mitad izquierda del rostro, la cara anterior del tórax y la mano izquierda en la que portaba una esclava de oro que solía utilizar.

Se le trasladó a la Funeraria Pérez Rodríguez, en un humilde ataúd de lámina, que fue sellado con soldadura autógena.

Al sitio llegaron miles de yucatecos que se reunieron para darle el último adiós.

María del Refugio Cruz, su madre, al enterarse del accidente por boca de su hijo José, sufrió dos leves síncopes cardiacos.

María Luisa León la trató de consolar diciendo que "eran designios de Dios".

A las 10:30 el locutor oficial de la XEW, Manuel Bernal, anunció escuetamente la muerte del actor.

Media hora después, las calles estaban inundadas por las extras de *El Universal*, *La Prensa* y *El Excélsior* que daban los pormenores del accidente.

El cadáver fue trasladado al teatro Jorge Negrete, un día después para evitar los pleitos entre las viudas. Ahí le dieron el último adiós representantes de todas las clases sociales, que paralizaron la ciudad para rendir homenaje a uno de sus hijos favoritos.

Actores como Mario Moreno, Arturo Soto Rangel, Andrés y Fernando Soler, Carlos López Moctezuma, cantantes, boxeadores, motociclistas y pueblo en general.

El jueves 18, el ataúd fue trasladado al lote de actores del Panteón Jardín. El cortejo fúnebre que comprendía unos 2 mil vehículos, estuvo encabezado por 40 miembros del Cuerpo de Motociclistas de Tránsito.

La policía no pudo controlar a las 15 mil personas que querían despedirse de su ídolo, entre notas del mariachi que entonó entre otras *Mi cariñito*, su canción favorita, y éxitos como *El gavilán pollero*, *Amorcito corazón* y *Rayando el sol*.

Irma Dorantes, su última compañera, se quitó un crucifijo de oro que llevaba y lo puso en la tumba, mientras su hermano Ángel arrojó el primer puño de tierra.

La Dirección de Tránsito, que lo había nombrado Comandante Honorario, le rindió un postrer homenaje. Había muerto el hombre, pero había nacido la leyenda, cuyo retrato podía conservar la gente por un módico peso.

Aún hoy día hay quienes aseguran que Pedro no murió en el accidente, sino que como quedó desfigurado, prefirió vivir en el anonimato.

En Caracas, la capital de Venezuela, Josefina Vaca, de 19 años, se quitó la vida ingiriendo barbitúricos al saber la noticia.

Lo cierto es que en los días siguientes de su muerte, admiradores del ídolo también se suicidaron en México, Colombia, Argentina y Los Angeles.

No es de extrañar que en cada aniversario de su muerte, el panteón se llene a reventar y aparezcan más de 40 personas que aseguran que son sus hijos y que traten de aprovecharse del parecido, aunque solamente cinco de ellos lo son legalmente.

En el momento de su muerte, aún no se estrenaban tres de sus películas, por lo que no es de extrañar que se apresuraran a estrenar una semana después de su muerte, la comedia *Pablo y Carolina*, de Mauricio de la Serna, con Irasema Dilián.

Tampoco es de extrañar que muchos artistas quisieran su pedacito de gloria y que hayan grabado 40 discos, con *El adiós a Pedro Infante*.

# Premios y reconocimientos

Resulta sintomático que el actor solamente haya recibido un Ariel en su carrera, por su trabajo en *La vida no vale nada*, de Rogelio A. González, derrotando a Ernesto Alonso, *Ensayo de un crimen*, y a David Silva *Espaldas mojadas*.

Curiosamente en el momento de la premiación, el 15 de junio de 1956, Pedro se encontraba filmando y la estatuilla la tuvo que recoger a su nombre su hermano Ángel, en el salón Candiles del Hotel del Prado.

Y es que Pedro había perdido la esperanza de obtener ese galardón, pues aunque estuvo nominado por *Cuando lloran los valientes, Los tres huastecos, La oveja negra, Un rincón cerca del cielo,* y *Pepe el Toro,* siempre había sido relegado por la Academia.

Muchos de sus compañeros también obtuvieron la preciada estatuilla. Blanca Estela Pavón, mejor actriz, y Víctor Manuel Mendoza, mejor coactuación masculina por *Cuando lloran los valientes*. Fernando Soler, mejor actuación masculina estelar por *No desearás a la mujer de tu hijo*. Silvia Pinal, mejor coactuación por *Un rincón cerca del cielo*. Blanca de Castrejón, mejor coactriz y Anabelle Gutiérrez, actriz juvenil por *Escuela de vagabundos*. Sara García coactriz de *La tercera palabra*. Pedro D'Aguillón, actor de cuadro por *El inocente*. Ismael Rodríguez, director y Raúl Lavista, músico por *Tizoc*.

Por eso resulta particularmente significativo el Oso de Plata que obtuvo en Berlín, derrotando ni más ni menos que a Marlon Brando, que competía con *La casa de té de la luna de agosto* y a Henry Fonda, *Doce hombres en pugna*.

Ismael Rodríguez recuerda que nadie conocía a Pedro en Berlín, y el 2 de junio de 1957, cuando se anunció que había obtenido el premio al mejor actor, se esperaba que subiera a recogerlo.

En medio de los aplausos de las 42 delegaciones participantes, el productor Antonio Matouk subió al estrado y anunció que "desgraciadamente Pedro Infante no puede recibir este premio, porque hace unos días murió en un accidente".

Todos se pusieron de pie y tras guardar un minuto de silencio, estallaron en una sonora ovación.

"Algunas mujeres que habían tenido la oportunidad de conocerlo, pero que no estaban enteradas de su muerte, comenzaron a llorar, mientras que los hombres hablaban de lo increíble que les parecía que él, una figura tan portentosa y llena de vida a los 39 años, hubiera muerto de una forma tan terrible", recordaba emocionado don Ismael.

Al saber de la muerte de Pedro Infante, la mayoría de las delegaciones participantes, entre las que se encontraban Italia, Francia y España, solicitaron una copia de la película para exhibirla en su país.

# Los herederos

Como Pedro murió intestado y su situación civil era muy complicada, los litigios por sus bienes fueron innumerables. Se decía que tenía una fortuna mayor de 20 millones de pesos, así como cinco casas en diferentes estados, acciones de la compañía TAMSA y de Matouk Films.

Lo cierto, es que su casa de Cuajimalpa fue saqueada a los pocos días de su muerte y muchos trataron infructuosamente de aprovechar la fama del carpintero de Guamúchil.

Seis años después de su muerte, Ismael Rodríguez filmó un documental al que tituló *Así era Pedro Infante*, en el que rescataba gran parte del material filmado por ambos personajes, así como detalles de *Museo de cera*, un proyecto que nunca llegó a cristalizarse, en el que Pedro debía interpretar a siete personajes distintos.

Ese mismo año, Miguel Zacarías filmó una versión novelada de la vida del ídolo, que fue escrita por su esposa, que estuvo encarnada por Maricruz Olivier. El papel de Pedro estuvo interpretado por uno de sus hermanos, José Cruz Infante.

Otro de sus hermanos, Ángel, sin el carisma de Pedro, apareció en varias producciones a su lado, aunque nunca pudo cimentar una carrera propia.

Sus cintas más famosas fueron *Por ellas aunque mal paguen* (1952), de Juan Bustillo Oro, y *El gran premio* (1957), de Carlos Orellana, filmada poco después de la muerte de su hermano.

Otro tanto ocurrió con Pedro Infante junior, hijo de Lupita Torrentera, quien se dedicó a estelarizar decenas de filmes populares como *El torito de Tepito*, *Tres amigos* y muchas más.

A diferencia de su padre, nunca supo cantar, así es que se limitaba a tratar de copiar algunos de los gestos de Pedro, aunque sin las dotes histriónicas de su progenitor.

Su hermana, Lupita Infante, se dedicó sin mucho éxito a la danza y el baile.

Cruz Infante, quien se decía que había sido concebido con Piedad Suárez, una de las sirvientas de la mamá de Pedro, era el que más se le parecía físicamente, lo que le sirvió para estelarizar en 1984 la cinta *El sinaloense*, en la que lució sus dotes de cantante, al lado de Fernando Fernández y Lupita Castro, bajo la dirección de Jaime Fernández.

Sin embargo, Pedro Infante Suárez, que era su nombre verdadero, también pereció trágicamente a la misma edad de su padre, 39 años, en un accidente automovilístico el 12 de mayo de 1987.

El director Claudio Isaac, concibió en 1982 un filme titulado *El día que murió Pedro Infante*, en el que solamente se hace mención al ídolo en noticiarios y audio, y es que el director nació el mismo día de la muerte del cantante, e ideó esta fantasía estelarizada por Humberto Zurita y Delia Casanova, para contar sus propios problemas como escritor.

Ocho años después, Miguel Rico Tavera escribió *Pedro Infante ¿Vive?*, una historia que fue dirigida por Juan Andrés Bueno, que fue interpretada por Enedino Aguirre, un actor que se mimetizó tanto en el papel, que terminó creyéndose verdaderamente Pedro Infante. La cinta manejaba la premisa de que Pedro había quedado desfigurado después del accidente, y que había preferido fingir su muerte. La cinta fue estelarizada por Manuel Capetillo junior y la bella Diana Golden.

Su hija Lupita Infante acaba de firmar un convenio con las autoridades de Houston, Texas, para la creación de un museo trashumante que viajará por toda la Unión Americana exhibiendo parte de la memoria del ídolo.

El museo rodante está conformado por dos autobuses unidos por un gusano, donde se exhibirán 70 artículos personales del ídolo.

Entre ellos, se cuentan dos mil fotografías, ropa, cartas, muebles que él fabricó, una figura de cera y la motocicleta que utilizó en *ATM*.

Javier Sánchez, socio de Lupita Infante, explica que la idea es construir un museo en una hacienda de unas cinco hectáreas, cuando se cumpla el 50 aniversario de su muerte.

# Los libros sobre el ídolo

**S**in duda que Pedro Infante es uno de los artistas sobre los que se han escrito más libros, revistas y ensayos. Desgraciadamente la mayor parte de ellos solamente da una visión parcial del mito.

Un año después de su muerte, Valentín Tejada escribió para Editorial Tejada, *Pedro Infante, ídolo popular*.

María Luisa León, su primera esposa, escribió *Pedro Infante en la intimidad conmigo,* en 1961, en la Editorial Comaval. En 31 capítulos, que fueron convertidos en una radionovela de 90 episodios estelarizada por José Antonio Cosío, la viuda oficial recuerda los momentos más felices de su vida, aunque también narra las infidelidades de Pedro. Con algunos cambios, el libro sirvió de guión a la película de Miguel Zacarías, *La vida de Pedro Infante*, filmada dos años después de la aparición del libro.

Uno de los más vendidos es *Lo que me dijo Pedro Infante*, de Carlos Franco Sodja, quien explota los escándalos en la vida del actor, y muestra un lenguaje machista que seguramente no será del agrado de las mujeres.

El sociólogo Gabriel Careaga, dedica a Pedro Infante uno de los capítulos de *Erotismo, violencia y política en el cine*, editado por Joaquín Mortriz, en 1981.

El doctor Eduardo Liendo escribió en 1988, *Si yo fuera Pedro Infante,* para la Editorial Diana, en la que incluye letras de canciones y muestra otro punto de vista de la carrera del ídolo.

Su segunda mujer, Guadalupe Torrentera, publicó en la Editorial Diana, en 1991, *Un gran amor,* en el que cuenta a la periodista Estela Ávila, su vida amorosa, y resalta que "ella no sabía que era un hombre casado".

El doctor José Ernesto Infante Quintanilla, sobrino del ídolo, publicó un año después en la Editorial Castillo, *Pedro Infante, el máximo ídolo de México. (Vida, obra, muerte y leyenda.)* Se trata de una de las mejores biografías, pues además de la cálida visión desapasionada, se incluyen anécdotas, fotografías, discografía y filmografía.

Ese mismo año, el doctor Roberto Cortés Reséndiz y Wilbert Torres Gutiérrez, publicaron en los Populibros de la Prensa, *Pedro Infante el hombre de las tempestades*, que es una visión retrospectiva del ídolo, con buen material, fotografías y anécdotas.

*No me parezco a nadie: La vida de Pedro Infante*, de Gustavo García, es una de las mejores biografías fílmicas de la Editorial Clío, que aparecían en tres fascículos, profusamente ilustradas.

Gonzalo Mejía Ramírez publicó en MSM Editores, *Lo que no se ha dicho de Pedro Infante*.

Incluso, hay una tesis profesional titulada *Análisis de la capacidad actoral de Pedro Infante*. Tesis de María de los Ángeles Santiago Viruel, de la Facultad de Ciencias Políticas y Sociales de la UNAM.

*El cancionero de Pedro Infante* por Carlos Gonzáles de León.

Se publicó su vida en una historieta semanal titulada *La vida de Pedro Infante*, que se reditó en varias ocasiones.

La extinta revista *Somos uno*, le dedicó números especiales, como el número 65, del 16 de enero de 1993, y el 203, del 1 de enero del 2001, que están repletos de fotos y anécdotas.

El periodista Edmundo Pérez Medina publicó una edición especial titulada, *Pedro Infante, anécdotas, intimidades y aventuras*, en la que recoge entrevistas con amigos y familiares.

Como su mito se ha adaptado a las nuevas épocas, se pueden encontrar más de 32 mil 200 sitios en Internet con información del ídolo.

Las más comunes son las de las casas grabadoras y las que traen biografías de estrellas cinematográficas.

Podemos mencionar entre las principales.

- http/cinemexicano.mty.itesm.mx/estrellas/infante/htm.
- www.hermosillohistoria.com/articulos/pedro/htm.
- www.geocities.com/broadway/2626/pedro/html.
- http/www.elmariachi.com/artist/pedro_infante.atp

Solamente cuatro personalidades en la historia de la radio mundial, han estado vigentes tanto tiempo, como el cantante mazatleco.

El zorzal argentino Carlos Gardel (1887-1935), considerado como la representación del tango, con canciones que han sobrevivido a todos los tiempos como *Mi Buenos Aires Querido* o *Volver*.

Frank Sinatra (1915-1998), el actor y cantante estadounidense que aunque ganó un Óscar por su papel en *De aquí a la eternidad,* una cinta de Fred Zinemman filmada en 1953, pero que será mejor recordado por su apodo que era simplemente "La voz", y que dejó un rico legado que incluye canciones inmortales como *Nueva York, Nueva York, Extraños en la noche* y muchas más.

Y los Beatles, el cuarteto de Liverpool que se separó en 1970 después de una exitosa carrera de ocho años que enloqueció a la juventud de la época y del que solamente sobreviven Paul McCartney y Ringo Starr, pues John Lennon y George Harrison fallecieron antes de poder cantar su emblemática *Cuando tenga 64 años.*

Desde su muerte, ha habido programas dedicados a la memoria de Pedro Infante en Radio Sinfonola, en el 1410 de AM y en La Consentida, conducido por Arturo Cortés y Gustavo Albite Martínez, en los que se ponían complacencias del público y se hablaba de sus películas, de ocho a nueve de la mañana y de 10 a 11 de la noche.

# NOTAS

# NOTAS

# NOTAS

# NOTAS

# NOTAS

# NOTAS

# TÍTULOS DE ESTA COLECCIÓN

*Impreso en los talleres de*
*Offset Libra*
*Francisco I. Madero No 31*
*Col. Iztacalco C.P. 08650*
*Tel. 590-8269*
*México D.F.*